아무도 괜찮냐고 묻지 않았다

고혜진 에세이

듣고 싶었던 이야기

살아온 날보다 살아갈 날이 더 많이 남았지만, 산다는 것은 어쩌면 익숙하지 않은 것들에 익숙해질 즈음 또다시 익숙하지 않은 것을 만나게 되는 건 아닐까 생각한다. 예상치도 못했던 일들을 만날 때마다 당혹스럽지만, 이제 좀 익숙해지려면 또다시 새로운 것들이 나타난다.

내 인생의 1장은 순풍에 흘러가는 유람선 여행이었다. 세상은 궁금하고 기대되는 너른 바다였으며 눈에 보이는 모든 것이 신기하고 궁금했다. 시간이 지나면 저절로 어른이 되는 줄 알았다. 2장에선 더 큰 세상으로 나아가 열심히 달리던 중, 거대한 풍랑을 만났다. 그때까지만 해도 목표를 향한 여정에서 만나는 크고 작은 풍랑은 어쩔 수 없는 일이고, 배에서 버티기만 하면 된다고 생각했다. 그러다 암초를 만나 배는 뒤집혔고, 풍랑은 그치지 않았다.

3장에 이르러 선택을 해야 하는 순간이 왔다. 어느 것 하나 포기할 수 없어 무리하게 끌어안고 물속으로 가라앉다가 더는 안 되겠다고 생각한 순간, 죽을힘을 다해 빠져나왔다. 4장에서야 모든 것을 내려놓고 집으로 돌아왔다. 이제야 끝난 줄 알았는데, 이번엔 긴 터널이 기다리고 있었다. 혼자였다. 대답 없는 인생에 끊임없이 따져 물었고, 숨 쉬며 느끼는 모든 것들이 넘어야 할 산이었다. 밤마다 죽음을 생각했지만, 아침마다 살고 싶었다.

여름이 오는 것 같아 슬쩍 바깥을 내다봤다. 이른 새벽, 가까이 들리는 새소리에 눈을 뜬 날 결심했다. 나가 보기로. 그렇게 5장이 되었다.

책을 완성하기까지 가장 큰 장애물은 바로 나였다.

지극히 평범하고 나이마저 애매한 사람의 힘들었던 이야기를 누가 좋아하겠냐는 합리적 의문. 그리고 내가 뭐라고 감히 남의 소중한 인생에 훈수를 두겠냐는 자괴감에 거의 포기 상태일 때, 나의 영원한 지음(知音), 장 매니저는 말했다. 꼭 성공 스토리만 책이냐고. 비슷한 일을 겪고 있는 사람에겐 내 이야기가 도움이 될 수도 있고, 공감하는 사람도 있을 거라고. 본인은 내 글이 좋다고. 누군가는 내 책을 기다린다고.

그 말에 다시 노트북을 열었다. 계속되는 폭풍에 지쳐 나 자신을 탓하고 있는 동안에도 세상은 힘차게 잘만 돌아갔고, 툭하면 눌리는 정지 버튼을 원망하는 동안에도 시간은 공평하게 흘러갔다. 어쩌면 길었던 혼자만의 터널은 나 자신을 용서하기 위한 시간이었는지도 모른다.

한 치 앞도 내다보기 힘들던 시절, 나는 비슷한 고통을 겪은 사람들의 이야기를 찾아 헤맸다. 나만 힘든 게 아니라고, 고통의 시간도 결국 끝은 있더라고 말해 주면 나도 그 핑계로 조금 더 버틸 수 있을 것 같았는데, 찾지 못했다.

오랜 고민 끝에 내가 찾던 이야기들을 직접 쓰기로 했다. 혼란 속에서 비슷한 일을 겪은 사람의 이야기를 찾고 있을 누군가에게 혼자가 아니라고, 지금 아픈 건 당신 잘못이 아니라고 말해 주고 싶었다. 그리고 지나간 일들은 이제 과거에 두고, 다시 찾은 오늘을 충실히 살아내면서 앞으로 나아가자고 나 자신에게 건네는 위로이기도 하다.

어떤 순간에도 시간은 흘러간다. 끝나지 않을 것 같은 장마도 언젠가 끝이 난다. 그리고 갑자기 들이닥친 장마는 누구의 탓도 아니었다.

목차

하나, 오늘도 바람은 불어오고

오늘보다 (긴 하루을
붙여오고

쓰레기봉투를
사던 날

　이제 약을 줄여보자던 의사의 말을 듣던 순간을 아직도 잊지 못한다. 절대 끝나지 않을 것 같던 나의 길고 긴 겨울이 끝나가고 있었다.

　병원 밖 하늘은 흐린 회색빛이었다.

　바람이 불면 제법 선선했지만, 눅눅하고 더운 오후였다. 빵빵거리는 소리 뒤로 구급차가 다급하게 지나가고 문득, 걷고 싶었다.

　아는 얼굴이라도 마주칠까 조금 걱정됐지만, 바람도 느끼고 지나가는 것들도 보면서 걷고 싶으니까. 지나가는 사람들과 눈이 마주치면 등줄기에 땀이 흐르고 심장이 빠르게 뛰었다. 나쁘지 않았다. 살아있다는 증거니까. 우중충한 하늘을 좋아하지 않는데, 그날은 썩 마음에 들었다. 해묵은 감정들로 얼룩덜룩한 나와 어울리기도 했고, 하늘이 굳이 파랄 필요는 없으니까.

　오늘을 그냥 보내면 안 될 것 같아 즉흥적으로 마트에 들어갔다.

　　　　　　　　　　　　　아무도 괜찮냐고 묻지 않았다

그리고 쓰레기봉투를 샀다. 바람이 불어도 눅눅한 날씨 탓에 땀이 나기 시작했지만 그마저도 개운했다. 그냥 다 좋았다. 현관문을 여니 시원하고 달달한 공기가 나를 와락 안아 주었다. 잘했다고, 고생했다고 안아 주는 것 같아 신발도 못 벗고 오랜만에, 정말 오랜만에 소리까지 내며 목이 마를 때까지 한참 울었다. 창문도 열고 커튼도 열고 습한 공기라도 마음껏 마시고 나서야 편안한 내 집에 들어온 것 같아 마음이 놓였다. 아직 씻지도 않았는데 자꾸만 이불에 눕고 싶어 잠시 고민했다.

집에 오면 병적으로 순서까지 지켜가며 반드시 완료해야만 마음이 놓이는 것들이 있었다. 삼중 잠금장치까지 여러 번 확인하고 보일러실, 옷 방, 베란다를 순서대로 둘러보고 고데기는 여전히 안전하게 전원이 꺼져있는지 두 번 점검하고 나서 마음이 놓이면 그제야 손을 씻고, 옷을 갈아입고 샤워를 한다. 불안한 마음이 커지면서 점차 길어진 루틴이었다. 이것을 깨고 싶은 충동이 든 것이다. 처음으로. 그래서 손만 씻고 곧장 이불로 향했다. 오늘 많은 것을 깨버릴 생각으로.

생각해 보면 이불은 항상 편안했다. 억지로 괜찮지 않아도 됐고, 굳이 설명을 요구하지도, 억지 부리지도 않았다. 벌떡 일어나 이불부터 봉투에 담았다. 어쩌면 긴 겨울을 지나오는 동안 한결같이 포근하게 나를 안아준 유일한 감정이 이 이불에 있었다. 어떤 마음으로 누워도 이불 안은 늘 아늑하고 따스했기에 항상 고마웠지만, 그래서 이제는 버려야 한다. 숨 쉴 때마다 무기력하게 가라앉던 내 마음의 은신처를 없애버려야 정말 끝낼 수 있을 테니까.

　치열하게 살아온 흔적도 지우기로 했다. 도저히 버릴 수 없어 이
사하면서도 고집부리고 모셔왔던 전공서적, 수험서, 두세 번씩 확
인하며 점검하던 업무 자료들을 현관에 쌓기 시작했다. 그동안 노
력한 시간이 아깝고 소중해서 어떻게든 버티려 안간힘 쓰다가, 다
시 시작할 에너지까지 전부 소진해버렸다는 것을 나는 너무 잘 알
고 있었다. 실수하지 않으려 깨알같이 적어둔 메모들이 꽤 많이 나
와 멈칫했지만, 더는 나의 노력을 불쌍하고 헛된 것으로 여기지 않
기로 다짐했기에 최대한 잘게 찢었다. 쓸모없는 짓을 한 게 아니라,
나는 그 순간에 최선을 다해서 걸어온 것뿐이다. 그리고 그 노력에
연연하지 않기 위해 그 흔적들은 버리는 것뿐이다.
　의외로 굉장히 후련했다. 지나간 시간이 떠올라 눈물이 나긴 했
지만, 복잡한 심경들이 얽혀있었다. 열심히 살아온 나를 안아 주고
싶었고, 그때는 나를 챙기지 못하고 비겁하게 외면해버렸던 것이
슬프기도 하고, 오죽하면 그랬을까 싶어 다시 한 번 있는 힘껏 안
아주고 싶었다.

　밤공기는 꽤 선선했다.
　계절이 여러 번 바뀌는 동안 나만 모르고 있었던 것 같아 당황스
러웠지만, 그런 건 아무래도 좋았다. 뒤처지긴 했어도 겨울에 갇혀
있던 나의 시간이 드디어 다시 흐르기 시작했다.

혈액이 몸을 한 바퀴 도는데 걸리는 시간, 1분

2014년 겨울, 사랑받던 한 가수가 갑작스럽게 세상을 떠났다. 그의 사인은 패혈증(敗血症), 미생물에 감염되어 병원균, 독소에 오염된 혈액이 순환하면서 장기들이 손상되거나 사망에 이르는 장기 기능 장애였다. 혈액이 사람의 몸을 순환하는 데 걸리는 시간은 1분도 채 되지 않는다. 일단 피가 오염되면 장기는 손상되고, 패혈증 쇼크를 유발하기에 사망률이 매우 높다.

그해 잔병치레가 유난히 많았던 엄마는 병원에 가라고 해도 다 귀찮다는 듯 며칠을 누워만 있었다. 퇴근하고 돌아온 나에게 '오늘은 입맛이 없어 과일만 조금 먹었다'는 말을 하는 엄마가 답답해, 슬슬 나도 무뎌지고 있었다. 수요일 저녁, 퇴근하면서 매콤한 낙지볶음과 엄마가 좋아하는 과일들을 사 갔지만 엄마는 시큰둥했다. 사 오라고 한 건 아니었지만, 알 수 없는 서운함에 내 몫을 덜어 혼자 야무지게 밥까지 비벼 먹고 자 버렸다.

다음날 오후, 동네 어른의 메시지가 왔다. 엄마가 병원에 입원했으니 놀라지 말고 퇴근하고 오라는 말씀에 차라리 다행이었다. 강제로라도 병원에 가서. 요 며칠 가슴에 얹혀있던 무언가가 그제야 내려갔다. 내일이 금요일이니 엄마 옆에서 하루 자고 출근할 생각으로 집에 가서 옷이랑 세면도구, 책을 챙겨서 병원으로 갔다.

　아주머니는 가셨고, 나도 씻었다. 엄마는 수액을 맞고 있었는데, 진작 올 걸 미련하게 참았다며 멋쩍게 웃고는 잠들었다. 우리 가족(형제만 있는) 채팅 방에도 엄마의 상황을 대충 알리고, 옆에 누워 책을 읽었다.

　물속에 잠겨 있을 때 나는 소리를 들어본 적이 있는가.

　삐이- 하는. 왼쪽에서 오른쪽 귀를 관통하며 지나는 소름 끼치는 음역대. 아주 어릴 때, 사람들과 놀러 간 홍천강에서 물에 빠져 죽을 뻔했다. 어른들은 음식을 준비하고 언니, 오빠들은 공놀이하고 있었다. 나는 매우 어렸기 때문에 튜브를 타고 있었는데, 오빠들은 물속에 서서 공놀이를 하는데 나만 튜브를 타고 있는 것이 왠지 자존심 상해 과감히 튜브 위로 두 손을 번쩍 들어 올렸다.

　즉시 가라앉기 시작한 나는 발이 땅에 닿지 않자 몹시 당황했다. 버둥거리며 소리쳐 봐도 돌아오는 것은 꿀럭 대는 물소리와 비린 강물뿐이었다. 수면에서 사라진 순간 나는 세상에서 사라지고 있었다. 누군가 건져 주기 전까지 내가 할 수 있는 건 계속 가라앉는 것뿐이었다.

　짙은 연두색, 미지근한 수온. 왠지 더 차갑게 느껴지던 손끝의 감촉. 계속 신경을 자극하던 그 특유의 수신호 같은 소리. 그리고 뜬

눈 위로 콸록-콸록 흘러대던 물소리. 지금도 그 음역대의 소리를 들으면 소름이 끼친다. 몸이 아프거나 스트레스를 받으면 가끔 귀에서 그 소리가 난다.

 이상한 예감이 든 걸까. 귀에서 또 그 소리가 나는 것 같아 괜히 무서워 습관적으로 엄마를 보는데, 잠깐 깨어난 엄마와 눈이 마주쳤다. 안도의 숨을 다 내쉬기도 전, 엄마는 갑자기 지금 당장 화장실에 가고 싶다며 몸을 일으켜달라고 소리를 질렀다. 엄마의 팔에 주렁주렁 매달린 수액 때문에 간호사를 불렀는데, 낯선 엄마의 모습에 놀랄 시간도 주지 않고 그대로 주저앉으며 옷에 용변을 봤다.
 늘어진 엄마는 무거웠다. 갑자기 변해버린 엄마를 안아서 씻기고 옷을 갈아입혔다. 그리고 간호사에게 화를 냈다. 아무것도 모르는 내가 봐도 많이 이상한 상황인데, 의사는 대체 언제 오느냐고. 갑자기 간호사 여럿이 달려와 엄마에게 산소 호흡기를 씌웠고, 나는 그제야 간호사 휴대 전화로 의사와 통화할 수 있었다.
 대뜸 상황이 심각해서 큰 병원으로 가야 할 것 같으니, 마음의 준비를 하라고 했다. '이런 상황을 다들 예상하고도 하루 종일 1인실에서 수액만 맞혔느냐'는 말이 목까지 차올랐지만, 한시가 급하다는 말에 일단 짐을 챙겼다. 엄마가 들것에 실렸고, 나는 심란할 때마다 읽던 책을 쓰레기통에 던져버렸다. 태어나 처음으로 탄 구급차에서 엄마가 오늘 죽을 수도 있겠다는 생각을 했다.

 대학병원 응급실에 도착했다. 의식을 잃은 엄마에게 검사 기구들이 달려든다. 날카로운 바늘을 망설임 없이 꽂으며 내게 다다다 따지듯 질문하는 의사를 보니, 마음이 놓였다. "오기 전 뭘 드셨나요?", "최근 어디 다녀오신 적 있나요?"

삐이-.

고막에 물이 차오르고, 나는 물속에 가라앉는다. 한심하게도 엄마에 대해 대답할 수 있는 게 없다. 자꾸만 낙지볶음이 생각나 구역질이 난다. 함께 온 간호사가 엄마 자료를 넘겨주고, 내게는 죄송하다며 고개 숙이고 돌아갔다.

잠시 후 의사가 엄마 이름을 부른다. 멍청한 얼굴로 내가 딸이라고 하자, "패혈증 의심 소견입니다. 이미 패혈증 쇼크 상태예요. 일단 모든 항생제를 조금씩 투여해 봐야 할 것 같습니다."하며 동의서에 사인하라고 한다.

패혈증. 얼마 전에 알게 된, 혈액이 순환하며 모든 장기를 죽게 하는, 치사율이 60%에 육박한다는 무서운 그것. 엄마가 패혈증 쇼크로 의식을 잃었다.

마지막 인사는
불친절하게 찾아온다

  피로 물든 교통사고 환자가 실려 오고, 누군가는 생을 마감한다. 오열하는 사람, 누군가를 애타게 부르며 뛰어들어오는 사람, 늘어진 아이를 업고 울면서 뛰어오는 사람들을 멍하니 바라보는데, 다들 가족을 찾는다. 정신이 번쩍 든다. 가족.

  직장에 연락해 사정을 말씀드리고, 채팅방에 소식을 전한다. '모두 빨리 와야 할 것 같다'고. 그저 당황스러워 눈물도 나지 않는다. 엄마는 아침마다 거짓말을 했다. 부탁한 적도 없는데 늘 '벌써 7시'라며 6시 반에 깨웠고, 나는 한 번을 좋게 일어나지 않고 왜 깨우느냐며 볼멘소리를 하거나, 미리 일어나 있던 날엔 대꾸도 안 했다. 밖에선 싹싹하고 예의 바르다는 말을 들었지만, 집에선 학생 때와 다를 게 없었다.

  "혜진아!"하고 부르는 소리에 눈을 떴다. 한숨부터 쉬며 고개를 드니 의식 없는 엄마가 누워 있고, 처음 보는 기계들이 극성스럽게

오늘도 바람은 불어오고

매달려 있다. 꿈이었다. 어젯밤에도 밝던 응급실은 아침에도 계속 밝다. 염치도 없는 큰딸은 속 편하게 잠이 들었고, 저녁 한 끼 굶었다고 배도 고프다. 우유라도 마시고 싶은 내가 너무 싫었다.

"누나!"하는 소리가 들린다. 이번엔 돌아보지 않았다. 배도 고프고, 어깨도 아프다. 이대로 엄마가 죽을까 봐 무섭다. 너무 갑작스러워 그냥 도망치고 싶다. 눈부시게 환하고 사람이 가득한데도 깜깜한 밤, 갯벌에 누워 서서히 가라앉는 기분이다. 꿈을 꾸는 것 같기도 하고.

"누나!" 소리가 다시 들렸다. 진짜 내 동생이 왔다. 밥은 먹었느냐며 우유를 준다. 잠깐 깨어난 엄마는 눈만 깜빡깜빡하더니 나를 부른다. 아무래도 엄마는 곧 죽을 것 같다며, 잠 좀 푹 자게 이것(의료 기기) 좀 빼달라고 했고, 나는 못 들은 척했다. 내 앞에서 한 번도 운 적 없던 듬직한 동생이 눈물을 훔쳤고, 우리는 아무 말도 하지 않았다.

오후가 되면서 가족이 모두 모였고, 엄마의 상태는 점점 나빠졌다. 저녁이 되자 '다행히 어린이 병동 중환자실에 자리가 났다'며 사람들이 엄마를 옮겨주었다. 누군가는 생을 마감했는데 다행이라는 표현이 적절한지 생각하다가, 여기부터는 들어올 수 없다는 말에 중환자실 입구에서 멈췄다. 생각도 발걸음도.

병원에서 내다보는 밤하늘은 짙은 남색이다. 여기저기 환한 불빛 때문에 별은 보이지 않고, 바람 소리도 웅웅- 울린다. 저 너머 장례

식장에선 상주 옷을 입은 사람들이 밖에 나와 담배를 피운다. 코로 길게 숨을 뱉으며 조금 울었다. 긴급 환자가 발생했는지, 코드명을 반복하며 '의료진들은 중환자실로 속히 오라'는 방송이 나온다. 의사들이 달려가고, 복도에까지 힘에 부친 하나! 둘! 소리가 들린다.

잠시 후 간호사가 누군가의 이름을 부른다. 아까부터 울다 까무러치기를 반복하던 할머니는 결국 뒤로 넘어가셨다. 젊은 사람들이 눈물을 훔치며 할머니를 부축하고 중환자실로 들어갔다. 언젠가 다큐멘터리에서 본 새끼를 잃은 짐승의 서글픈 울부짖음이 중환자실 복도를 가득 채웠다. 밤은 깊어갔고, 공기도 가라앉았다.

구석에서 각자 잠이 들 즈음, 다시 코드명이 울려 퍼졌다. 의사들이 달려가고, 응급처치 소리가 바깥까지 들려온다. 그리고 이번엔 간호사가 우리 엄마 이름을 부른다. 이름만 불렀는데 머리가 차갑게 식고, 병원 복도 바닥이 울퉁불퉁하게 보였다.

지친 얼굴의 의사는 우리에게 다 같이 들어와 환자에게 마지막 인사를 하라고 한다. '중환자실이니 짧게 인사하고, 얼른 나와야 한다'고 설명하는 간호사의 눈이 미안해 보인다. 오후 내내 외롭게 버티다 드디어 우리를 만난 엄마의 얼굴은 찌그러져 있다. 평생 아침마다 이름을 부르며 깨워주던 엄마의 말에 대꾸도 안 하던 첫째는 결국 '잠이라도 푹 자고 싶으니 제발 기계를 빼 달라'던 엄마의 마지막 말에도 대꾸를 안 했다. 엄마는 그런 나를 보며 어떤 생각을 했을까. 엄마가 죽고 나서야 나는 처음으로 엄마 입장에서 생각하게 되었다.

엄마가 듣고 싶어 할 말을 생각하고 있었다. 어릴 때부터 겁도 많고 애 같은 구석이 있어 막내만도 못한 첫째였는데, 엄마가 죽었다고 하니 갑자기 진짜 큰누나가 되어버렸다. 나는 '우리 다 컸으니, 걱정하지 말고 질 기'라고. '낳아 주셔서 감사하다'고 인사를 건넸다. 돌아가면서 한 명씩 엄마에게 인사하는데, 막내가 입을 꾹 다물고 고집을 부렸다. 많이 고통스러웠는지 잔뜩 일그러진 엄마 얼굴이 더 슬퍼 보여, 처음으로 막내를 때리며 얼른 인사하라고 윽박질렀다. 그래도 꿈쩍 않고 울던 막내는, 이제 모두 나가달라는 의사의 말에 그제야 입을 열었다. 사랑한다고.

　마지막이라는 말은 언제 들어도 먹먹하다. 마지막 인사는 떠나는 이와 남겨진 이 모두에게 절대 친절하지 않다. 불쑥 찾아와 당연하던 것들을 한순간에 파괴하고, 준비하지 못한 말들을 짧은 순간에 하게 만든다.

　그럼에도 불구하고 하지 않을 수 없는 이유는, 다시는 볼 수 없을 얼굴이 자신이 떠난 후 남겨질 사람들이 미안해하지 않을 수 있도록 기다려주는 마지막 배려이기 때문이다. 떠나는 이가 마지막까지 걱정할 사람들이 해야 할 '그동안 받은 사랑에 대한 도리'이기 때문이다.

아무도 괜찮냐고 묻지 않았다

몰랐다
어미 새도 부모는 처음인 것을

어미 새는 알을 낳기 위해 아비 새와 분주히 작은 부리로 마른 나뭇가지를 물어 와 세상에서 제일 안전한 둥지를 만든다. 적으로부터 보호하며 새끼들이 부화할 때까지 가슴으로 소중히 품는다. 아기 새들이 울어대면 먹이를 물어다 입에 넣어 주며, 나는 법을 가르친다. 살아가는 법을 가르친다. 성장한 자녀들이 독립하고 나면, 빈 둥지에 남은 부모는 외로움과 상실감을 느낀다. 이것이 빈 둥지 증후군(empty nest syndrome)이다.

어릴 땐 부모님이 세상 전부였고, 우주였다. 내가 엉거주춤 일어나 걷고, 엄마인지 아빠인지 정체 모를 옹알이하는 동안 부모님은 답답해하거나 다그치지 않았다. 내가 백 번 질문하면, 백한 번 대답해 주셨다. 지금껏 삶의 기준이 되는 것들은 모두 부모님께 배운 것들이다.

그러나 나는 매번 같은 질문을 하는 엄마에게 친절하지 못했다. 주로 내게 묻는 것은 요즘 새로 나오는 물건들에 관한 것이었다.

오늘도 바람은 불어오고

엄마도 처음이라 설명이 필요한 것들이지만, 젊은 나는 한 번에 이해하는 그런 것들. 이를테면 스마트폰이나 어플에 관한 것들. 엄마도 스마트폰이 처음이고, 사실 '엄마'라는 이름 자체도 처음이었을 텐데, 나는 엄마가 내게 무언가를 배우고 며칠 뒤 다시 물어보는 것을 이해하지 못했다. 내가 태어났을 때부터 엄마는 엄마였고, 나의 모든 지식은 엄마에게서 온 것이니까. 엄마는 크고 똑똑한 어른이니까.

엄마의 질문이나 연락에 사무적인 태도를 취하게 된 것도 스마트폰이 생기면서부터였다. 전화번호가 저장된 200여 명의 지인에게 새 번호로 메시지를 보냈다고 착각했을 엄마는, 그 많은 인원을 단체 채팅방에 초대했다. 전체 공개인 엄마의 SNS엔 고슴도치 엄마 눈에만 예쁜 내 사진이 업로드되었고, 그때마다 나는 코뿔소보다 거친 콧바람을 내뿜으며 조용히 엄마 전화기를 만졌다. 일일이 설명하기도 지쳐 내 사진을 다 지우는 게 더 빨랐다.

그 무렵 가족 단체 채팅방이 생겼다. 엄마는 아침마다 우리의 하루를 축복하며 좋은 글귀 사진을 보냈다. 그 당시 사회에서 만난 어른들의 좋은 글 폭격에 스트레스를 받던 나는 만만한 엄마한테만 단호하게 굴었다. 제발 그만 좀 보내라고. 서운함을 애써 감추면서도 엄마는 아침마다 좋은 글과 사진을 보냈고, 나는 서서히 지쳤다. 그리고 얼마 후 조용히 가족 채팅방에서 나왔다. 동생들하고도 따로 채팅방이 있었으니까.

마지막 인사를 끝내고 나온 우리는 엄마의 죽음을 사람들에게 알려야 했다. 애증의 관계였던 엄마의 전화기를 꺼내 메신저를 여니, 하필 맨 위에 우리 가족 채팅방이 있었다. 이까짓 게 뭐라고 나는 아침마다 그만 보내라며 화를 냈을까. 그동안 어떤 얘기들을 했을지 궁금했지만, 엄마한테 미안해서 한참을 망설이다 조심스럽게 들어가 봤다. 여전히 좋은 글과 귀여운 사진들로 도배된 대화방을 보며 '끝까지 참 엄마답다'는 생각에 피식 웃음이 났다. 그때 멈췄으면 좋았을 텐데.

쭉쭉 올라가다 보니 무언가 이상했다. 툭, 화면에 물이 떨어졌다. 내가 가족 채팅방에서 나가고, 동생들도 하나둘 모두 그 방을 나갔는데, 이 사실을 알 리 없는 엄마는 혼자 아침마다 대답 없는 자식들에게 인사를 하고 있었다.

내 새끼들 밥 든든히 먹으라고, 사랑한다고.

기적을 부르는,
세상에서 가장 강한 이름

친척들에게 엄마 소식을 알리고 아무렇게나 주저앉았다. 손에 뭐만 묻어도 난리를 치며 살았는데, 엄마의 허망한 죽음 앞에선 다 의미 없었다. 그렇게 모든 것이 멈춰 있는데, 누군가 우리 엄마 이름을 부르며 보호자를 찾았다.

첫 사용이라 본인도 성공 여부를 장담할 수 없고 천문학적 비용이 청구될 수 있지만, 우리가 동의해 준다면 엄마 피를 다 빼고 수혈한 다음 최근에 들여온 의료 기기(사람의 혈액을 강제로 순환시키며 산소를 공급하는)를 사용해 보고 싶다고 했다. 우리는 당장 하고 싶고, 절대 하기 싫었다. 엄마가 살 수만 있다면 무조건 하겠지만, 실패한다면 고통스럽게 죽은 엄마는 굳이 잠깐 살아나서 더 고통스럽게 죽어야 할 테니까.

"누나, 그냥 하자." 막내가 처음으로 입을 열었다. 그렇게 긴급 수술을 시작했고, 엄마는 죽은 것도 산 것도 아닌 채, 홀로 긴 여행

아무도 괜찮냐고 묻지 않았다

을 떠났다.

중환자실 문은 하루에 두 번 열린다. 점심, 저녁 30분. 한 번에 두 명씩. 매일 밤이 고비라는 말을 들어야 했지만, 그렇다고 죽은 것은 아니기에 일요일 저녁 면회를 마치고 모두 직장이 있는 타지로 돌아가야 했다. 그나마 가까이 사는 나랑 셋째는 매일 엄마를 볼 수 있었다. 좋은 하루 보내라는 엄마의 메시지에 한숨이나 쉰 주제에, 점심을 굶어가며 잠깐이라도 위태롭게 살아 있는 엄마 얼굴을 보는 것이 기적 같고, 감사했다.

궁금하지도 않은 연예 기사를 읽으며 보내던 그 30분이 지금 우리 가족에겐 얼마나 간절한지 알 리 없는 사람들은 굳이 그 시간에 일을 주거나 밥을 먹자고 했다. 어쩌면 마지막일지 모르는 엄마를 보기 위해 엄마의 손님들이 계속 와 주셨고, 어떤 날은 인원과 시간이 통제되는 중환자실의 특성상 엄마를 못 보는 날도 생겼다. 1분 1초가 아쉽고 애달픈 것은 그동안 엄마가 내게 준 사랑이 얼마나 귀한지 몰랐던 무심한 딸에겐 당연한 결과였다.

하루는 연락도 없이 몰려온 손님들 때문에 또 면회를 못 하게 되어 간신히 참고 있는데, 안 그래도 풀 죽어있는 동생에게 누군가 비수를 던졌다. '이렇게 되도록 자식들은 뭐 하고 있었느냐'고. 엄마 얼굴에 먹칠하기 싫어 참는데, 동생 신발에 눈물이 툭툭 떨어지는 걸 보니 아무리 어금니를 꽉 물어도 참아지지 않았다. 차마 어른한테는 못하겠고, 나도 애꿎은 동생한테 더 크게 소리 질렀다.

뭘 잘못했다고 고개 숙이고 기죽어 있느냐고. 자식들도 30분밖에 못 보는데, 왜 부르지도 않은 사람들이 와서 너한테 헛소리하는 걸 듣고 우냐고. 엄마가 우리를 보고 싶지, 저런 소리를 듣고 싶겠냐며 악을 쓰니까 의사가 나와서 환자들한테까지 다 들리게 뭐 하는 거냐며 다 내쫓았다. 차라리 후련했다.

그동안 많이 서운했는지 엄마는 보름이 지나도 일어나지 않았다. 수혈 부작용인지, 항생제와 수액 때문인지 우리 엄마인데도 조금 무서울 정도로 얼굴이 부풀었다. 몸에선 소름 돋는 냄새가 났다. 보고 싶지 않은 엄마의 붉은 피는 몸 밖에서 쉬지 않고 돌아갔다. 하루는 나 혼자 엄마를 보러 갔는데, 담당 의사가 "이렇게 매일 오다 간 가족들 다 나가떨어져요. 산 사람은 살아야지, 환자한테만 매달려서 따님이 이렇게 고생하고 있으면 어머님이 얼마나 속상하시겠어요." 하며 차갑게 말했다.

나도 모르게 주저앉아서 정말 목놓아 울었다. 의사가 그런 뜻이 아니라며 사과했지만 계속 터져 나왔다. 엄마가 떠날까 봐 두렵고, 우리 욕심에 괜히 고생시키는 것 같아 미안했다. 항상 우리를 기다렸을 엄마가 외로웠을 것 같고, 내가 조금만 일찍 병원에 데려왔더라면 달랐을까 하는 생각에 나 같은 건 힘들 자격도 없다고 생각했다. 그런데 전혀 모르는 사람이 지금 너도 힘들다고, 엄마는 이런 내 모습이 속상할 거라고 말해 주니 감정을 주체할 수가 없었다.

시간이 흐르면서 면회 내용도 달라졌다. 처음엔 미안한 일들이 어쩌나 그렇게 샘솟는지 매일이 고해성사였고, 점차 엄마와 내가 함께한 추억들을 소환하며 애써 즐거운 이야기만 했다. 엄마 입장에서 생각해 보니 바깥세상이 궁금할 것 같아 날씨, 첫눈, 엄마를 위해 기도해주는 분들에 대해 들려주기도 했다. 한 달이 되니 그것도 지쳤다. 점심도 굶어가며 애써 밝은 척하기도 힘들고, 어차피 엄마가 살 수 없다면 차라리 빨리 끝나면 좋겠다는 생각을 하는 내가 무섭고 실망스러웠다.

　슬슬 이제 포기하고 싶은 마음이 들어 미안하던 날, 더는 하고 싶은 말도 없어 가만히 엄마 얼굴을 보고 있었다. 엄마는 내가 부르면 항상 "어어-."하고 대답해 줬는데, 엄마가 부르면 나는 늘 이유를 물었다.
　"엄마아-."
　갑자기 삐- 소리가 났다. 엄마의 심장 박동을 체크하는 그래프가 요동쳤다. 지난번 엄마의 죽음을 미안한 듯 전하던 간호사는 '환자분이 따님 목소리에 반응한 것 같다'며 자기가 먼저 울었다. 혼자서 긴 터널을 떠돌던 엄마는 그렇게 한 달 만에 깨어났다.

　그 후에도 고비는 계속 찾아왔고, 완치 판정을 받기까지는 일 년이 걸렸다. 엄마는 결국 치사율이 60%에 육박한다는 패혈증 쇼크에서 살아났고, 심지어 아프기 전보다 더 건강하다. 그때 나를 울렸던 의사의 말로는 패혈증 쇼크에서 살아나는 경우는 거의 없고, 엄마의 경우는 정말 보기 드문 기적이라고 한다.
　사람들은 모두 '엄마'라서 가능한 기적이었다고 말한다. 그리고 나도 맞는 말이라고 생각한다. 나중에 물어보니 엄마는 우리가 마지막 인사를 하던 것도, 중환자실에 누워 있는 동안 사람들이 했던 말도, 그 무엇도 전혀 기억하지 못했다. 다만, 긴 꿈을 꾸었다고 한다.

꿈속에서 엄마는 당신의 장례식 같은 것을 지켜보기도 하고, 왠지 께름칙한 느낌이 드는 사람을 마주쳐 불안하기도 했다. 몸이 하나도 아프지 않고 자신의 장례식까지 봤다면 꿈이라는 걸 알았을 텐데도, 엄마는 제발 살려달라고 기도했다. 한쪽 구석에서 몸을 웅크리고 울고 있는 어린애가 있었는데, 얼굴은 보이지 않는데도 왠지 그 아이가 우리 막내 같았다고 한다.

엔딩(ending)을
선택할 수 있다면

그런 날이 있다. 무심코 들려오는 음악 한 소절에 위로가 되고, 오랜만에 안 쓰는 가방을 정리하다 과거의 내가 흘린 돈을 발견하는, 포기하는 마음으로 도전한 방탄 콘서트 티켓에 당첨되는, 선물 같은 날. 영화처럼. 그날이 그랬다. 대문을 나서자마자 핫팩이 얼어붙는 추위에도 유난히 밝은 햇빛이 왠지 설   다. 좋은 일이 일어날 것만 같은 기분, 상쾌한 출근길.

영화에서는 그런 날 꼭 무슨 일이 생긴다. 길을 건너다 무심코 고개를 돌리는 순간 엄청난 속도로 달려오는 트럭을 발견하지만, 주인공은 절대 피하지 않고 입만 벌린다. 자동차 미끄러지는 소리와 함께 충돌. 하늘로 붕 떠오른 주인공의 눈앞에 가장 후회되는 순간이 파노라마처럼 스친다.

실전은 그렇지 않다.

급커브를 돌자마자 나타난 강렬한 태양에 흠칫했지만, 매일 지나

오늘도 바람은 불어오고

다니던 길이라 익숙했다. 당황스러운 것은 양쪽이 꽉 찬 2차선 도로였다. 굽은 도로에서 추월을 시도하는 신박한 차량에 기겁했지만, 영화처럼 가만히 있진 않았다. 써 본 적도 없던 클랙슨을 부서져라 눌러대니 다행히 정신 차렸는지 충돌 직전에 자기 차선으로 돌아갔다. 모든 것이 다시 정상으로 돌아갔다. 나만 빼고.

온몸에 힘이 들어가면서 몸이 굳었다. 중심을 잃은 차는 휘청거렸고, 중앙선을 넘나들며 속력이 붙기 시작했다. 맞은편에서 대형 트럭이 근엄하게 달려오고 있다. 차라리 영화였다면 얼마나 좋았을까. 선택해야 했다. 저 트럭에 깔릴 것인지, 견고한 시멘트벽에 안길 것인지.

대충 선택하기엔 햇살마저 너무나 완벽한 아침이었다.

나는 시멘트벽을 택했고 0.001초 차이로 트럭이 바로 눈앞을 스쳐 갔다. 차 안에는 심장 뛰는 소리와 삐- 소리가 가득 찼다. 살면서 한번 만날까 말까 한 영화 같은 일이 그때부터 내게 일어났다. 운전석 쪽으로 강하게 충돌했는데, 의외로 차는 멀쩡했다. 몸도 멀쩡했다. 너무 놀랐는지 숨이 좀 안 쉬어졌으나 하나도 안 아팠다. 정말 다행이었다.

차에 다시 시동을 걸고, 운전 학원에서 배운 대로 비상등을 켠 다음 갓길에 주차했다. 직장에 연락해서 상황을 말하고, 119에 신고도 했다. 완벽했다. 잠시 안정을 취하며 기다리니 구급차가 왔고, 구급 대원은 멀쩡한 것 같으니 직접 차에 오르라고 했다. 그리고 일어나지 못했다.

차도 나도 겉은 멀쩡했지만, 속은 그렇지 않았다. 나는 척추압박 골절로 두 달간 병원 신세를 져야 했고, 차는 차축이 부러졌다. 뼈가 부러지면 치료 방법이 딱히 없다. 아기처럼 누워 주는 밥을 먹고, 뼈가 붙기만을 하염없이 기다린다. 하필 다친 곳이 척추라 자칫하면 못 걸을 수 있다는 말을 듣고, 불안 속에 끔찍한 나날을 보냈다.

이해하기 힘든 일은 끝나지 않았다. 나는 뼈만 부러진 상황이라, 진단서에 전치 6주라고 표기되었고, 혼자 일어날 수도 없었지만 퇴원해야 했다. 보험에 무지했던 나는 운전자 보험과 책임 보험만 가입했던 상황이었고, 사고의 원인인 역주행 차량은 충돌 직전에 유유히 커브를 돌아 사라졌기 때문에 내 사고 소식을 알 리 없었다. 경찰에 신고했고 블랙박스는 제 역할을 해냈지만, 그날따라 눈부셨던 태양에 반사된 상대 차량 번호는 내가 봐도 식별이 불가했다. 정말 영화처럼 그날만 춘천-홍천 방향 도로의 CCTV는 모두 꺼져있었다.

사람들은 86년 호랑이띠는 삼재(三災)가 드는 기간이니, 이만하길 다행이라 여기고 액땜한 셈 치라고 했다. 처음 듣는 말이라 그런가 보다 했지만, 액땜치고는 꽤 강렬했다. 수백만 원의 수리비와 치료비 그리고 퇴원 후 6개월은 허리를 굽히면 안 되기 때문에 아이언맨 슈트 같은 보조기를 착용했다. 자다가도 가해 차량이 생각나 분노에 떨었고, 딱딱한 보조기에 피부가 쓸려 옷을 몇 겹씩 입어야 했다.

그렇게 그해를 보냈지만 좋은 점도 있었다. 내가 얼마나 내 삶을 사랑하는지 깨달았고, 보험의 중요성을 절실히 느껴 당장 종합 보험에 들었다. 수술도 안 했고, 걸을 수 있는 것에 감사하자며 나 자신을 다독였다.

나의 본가는 호반의 도시 춘천과 홍천의 경계에 있다. 분지 지형인 춘천의 산 윗부분에 있어 매일 아침 하산(下山)하는 기분으로 등교하고, 출근했다. 그해 겨울은 유난히 추웠다. 2월 중순인데도 얼음이 그대로였다. 구름 하나 없는 쨍한 아침. 보조기도 풀고, 로봇 생활도 청산한 나는 다시 태어난 기분으로 힘차게 하산하기 직전이었다.

그날따라 유독 '사고 다발 지역' 안내판이 눈에 들어왔다. 그리고 모래 부서지는 소리와 함께 힘찬 미끄럼틀이 시작되었다. 내리막길에서 블랙 아이스(black ice, 도로 표면에 생긴 얇은 빙판)를 밟았다.

문득 궁금하다.

사람들은 이 상황에서 어떤 선택을 하게 될지. 내리막길에서 차는 점점 빠르게 돌진하는데, 브레이크는 이미 소용이 없다. 도로를 기준으로 왼쪽은 웅장한 바위산, 차는 형태도 없이 찌그러질 것이다. 오른쪽은 험준한 지형의 낭떠러지, 쓸데없이 화창하고 고요한 풍경에서 나만 조용히 사라진다. 불행 중 다행이라고 해야 할까. 도로에 나뿐이다. 이렇게 죽기엔 좀 많이 아쉽고, 억울하고, 두렵다. 차는 이미 이 세상 속도가 아니고, 당신은 선택해야 한다. 스스로 엔딩을 정해야 한다.

생각보다 찰나의 순간은 길다. 순식간에 벌어진 지난 사고와 다르게, 내리막길은 눈물 나게 길기도 하다. 어디선가 봤던 교통사고 사망자의 모습이 아른거린다. 힘겹게 숨을 헐떡이던 피로 얼룩진 마지막 얼굴. 이럴 거면 차라리 처음 사고 났을 때 죽을 것이지, 대체 왜 일 년 동안 고생이란 고생은 다 하고 죽는 건지. 내가 너무 불쌍해서 화도 난다. 무섭다. 너무너무 무섭다.

솔직히는 죽기 싫다. 살고 싶다.

그때 내게 중요한 건 죽은 후 내 모습이었다. 고통스럽긴 했어도 엄마와 마지막으로 인사할 때, 비로소 이별이 실감 나고, 마음도 어느 정도 정리할 수 있었다. 비록 나는 허무하게 떠나도 남은 가족들은 또다시 일상을 살아가야 한다. 나를 찾지 못해 제대로 보내 주지 못했다는 죄책감이 나에 대한 마지막 기억이 되는 것은 죽어서도 너무 슬플 것 같다.

엔딩이 갑작스럽긴 했지만, 피할 수 없다면 제발 한 번에 죽게 해 달라고 간절히 기도하며, 마지막 힘까지 쥐어짜서 핸들을 왼쪽으로 틀었다.

식혜 한 모금이면
살 것 같았다

나는 타고난 겁쟁이다. 천둥소리에도 심장이 쿵쿵거리고, 작은 음파에도 소스라치게 놀란다. 나 자신을 사랑했지만, 주사 맞는 날은 내 이름이 싫었다. 고(高)씨라 항상 앞 번호였고, 주사는 번호순으로 맞았으니까. 부모님이 걱정하기도 전에 자발적으로 귀가했기에 통금시간 따위 없었고, 운 좋게도 수능시험에서 대박이 났지만 혼자 사는 것이 무서워 서울권 대학은 생각조차 하지 않았다. 살면서 별걸 다 무서워했다. 진짜 무서운 게 뭔지 몰랐다.

내 엔딩은 돌산으로 정했는데 그분도 삼재였는지, 맞은편에서 갑자기 계획에 없던 차가 등장했다. 길에서 마감하는 짧은 내 인생에 가장 묵직한 각주(脚註)가 달리겠다고 생각했다. 엉뚱한 사람까지 다치게 했다고.

사람들은 그 순간을 어떻게 견뎠느냐며 대단하다고 한다. 도망치지 못했을 뿐, 나는 그 순간을 견디지 못했다. 죽음을 예감했을 때 차 안은 습기로 가득 찼고, 사고 직후엔 기절했다. 언젠가부터 그 길을 지나다니는 게 두려워 요즘엔 명절에도 본가에 가지 못한다. 특히 겨울엔.

마지막 기도는 결국 이뤄지지 않았다. 영화에서는 비명도 지르고, 누군가를 간절하게 부르던데 나는 짠하게 찍소리도 못했다. 날아간 내 블랙박스를 대신해 뜬 눈으로 사고의 순간을 지켜봤다.

펑! 화산 폭발음. 큰 철판으로 뺨을 맞은 듯 얼얼한 충격. 머리에서 뜨겁게 쏟아져 내리는 무언가. 이미 빙판길에서 몇 바퀴나 돌면서 떠내려 왔어도 성에 안 차는지 멈출 생각이 없는 내 차. 그 순간 나는 팽이에 올라탄 듯 격정적으로 춤을 추다 조수석과 뒷좌석이 운전석에 바짝 붙어 경차보다도 작아진 후에야 겨우 멈췄다. 그제야 안도의 한숨을 내쉬는데, 기침과 함께 피 섞인 유리도 쏟아져 나왔다. 누가 폐를 꽉 움켜쥐고 있는 것처럼 갑갑하더니 소리가 먼저 멈추고, 세상이 어두워졌다.

찬바람이 훅 들어와 눈을 뜬다. 온통 어둡고, 몸에 감각이 없다. 어디선가 웅성웅성. 나는 꿈을 꾸고 있다. '젊은 사람 같은데 불쌍해서 어쩌나. 죽었나 보다. 이거 곧 폭발할 것 같으니 물러서자. 밑에 기름이 다 샜다, 아이구우. 부모가 저걸 보고 어떻게 사나.'

어떤 아저씨는 계속 말을 건다. 잠들지 말고, 조금만 버티라고. 부모님 성함을 묻는다. 어릴 때 누가 부모님 성함을 물으면 성을 먼저 말하고 이름 뒤에 한 글자씩 '자'를 붙여 대답하라고 배웠는데, 써먹지 못한다. 차는 형태도 없이 찌그러졌다. 내가 앉았던 곳을 제외하고는 다 먹은 음료수 캔을 구겨놓은 것처럼 찌그러졌다. 연기가 나고, 기름이 샌다. 언제 폭발해도 전혀 이상하지 않다.

구급 대원들이 오자마자 내 눈을 가린다. 심각하게 회의를 하더니 공사장 용접 소리가 난다. 큰 수선으로 나를 둘둘 말고, 차를 자른다. 내가 들것에 옮겨진다. 몸이 들리면서 기침이 나왔다. 여전히 어둡지만, 감각이 돌아왔다.

지옥이 펼쳐졌다. 숨이 안 쉬어져 속에서 풍선이 부풀어 오르는 것처럼 괴로웠다. 온몸이 뒤틀리고 경련이 일어나자 몸을 잡아주면서 산소 호흡기를 씌워줬다. 차라리 빨리 죽고 싶었다. 팔만 움직여지면 산소 호흡기를 던져버리고 싶었다.

그때 피해자의 고통스러운 비명이 들렸다. 지르는 소리가 아닌, 터져 나오는 절규. 고통에 몸부림치는 처절한 울부짖음. 온몸이 뒤틀리는데도 심장이 미친 듯 날뛰기 시작했다. 어쩌면 나로 인해 누군가 죽을 수도 있고, 둘 다 죽을 수도 있다. 최악의 경우 정말 죄송하다고 사과도 못 하고 죽겠구나 싶어 괴로웠다. 계속 피를 닦아주며 내 이름을 묻는 구급 대원에게 온 힘을 쥐어짜 말했다. 내가 가해자라고.

누군가 계속 나를 부른다. 들리긴 하지만 눈이 떠지지 않는다. 여자 목소리. 간호사다. 지금 많이 다쳐서 보호자가 빨리 와야 하니, 이름을 대라고 한다. 엄마가 이 꼴을 보면 안 될 것 같아 한참 고민하다 남동생 이름을 댄다. 너무 많이 다쳐 숨을 못 쉬어서 옷을 자르고 천으로 덮어줬으니, 놀라지 말라고 한다.

　머릿속엔 온통 식혜뿐이다. 설이면 엄마가 식혜를 만들었는데, 나는 어릴 때부터 그걸 엄청 좋아했다. 평온하고 유쾌한 명절 분위기, 식혜 한 그릇이면 행복했던 어린 시절. 어쩐지 자꾸만 그날이 떠오른다. 편하게 잠 좀 자게 해 달라던 엄마, 그런 엄마를 못 본 척하던 나, 내 앞에서 처음으로 울던 동생.

　"누나!"

　그때처럼 동생이 나를 부른다. 조금 있으니 엄마도 온다. 사고 소식을 들은 동네 어른들이 엄마를 병원에 데려다주셨다고 한다. 목격자들이 즉사했을 거라고 해서 엄마도 그런 줄 알았는지, 내 손을 가만히 잡아 준다. 나는 아직도 아니라고 우기지만, 엄마 말로는 그때 손을 잡아 주니까, 내가 울었다고 한다.

　사람은 너무나 어리석은 존재라, 무언가를 잃기 전엔 그것이 얼마나 소중한지 깨닫지 못한다. 나는 내가 제일 소중했고, 남에게 피해 주지 않는 선에서 행복하게 사는 것이 가장 중요했다. 죽는 것이 제일 두려웠지만, 그 후는 생각해 본 적 없었다. 죽으면 이승에선 끝이라 생각했다.

　하지만 막상 모든 것을 놓게 될 순간에 나를 가장 두렵게 만든 것은 내가 떠난 후 남겨질 소중한 사람들이었다. 나야 죽으면 끝이지만, 남겨진 사람들은 또다시 그들의 몫을 견디며 살아야 할 테니까. 결국, 나의 인생은 온전히 나 혼자만의 것은 아니었다.

피해자의 마음을
가해자는 모른다

두 번째 사고는 스케일이 달랐다. 사고 차량은 모두 폐차되었고, 목격자들은 내가 죽었다고 했다. 경찰은 당시 사고 사진을 보여주며 내가 즉사하지 않은 게 기적이라고 했다. 작년 사고 때 주치의가 나를 알아봤다. 그때 젊어서 걸어서 나가는 거라며 기적에 감사하는 마음으로 조심조심 다니라고 했는데, 이번엔 더 크게 다쳐서 왔느냐고 하셨다.

그때는 사고의 충격을 척추가 흡수하면서 압박골절을 당했고, 이번엔 척추를 포함한 고관절, 갈비뼈 등 28개 부위 다발성 골절 진단을 받았다. 의사는 이 정도면 몸이 아작 난 거라고, 살아있는 게 기적이라고 했다. 하도 보는 사람마다 기적이라고 해서 온몸이 뒤틀리는 중에도 괜히 행운을 얻은 기분이었다.

다 낫고 나서 안 사실이지만, 발등도 꽤 부러졌었는데, 아무도 몰랐다. 어차피 몇 달 동안 걷지 않았기 때문에 다행히 조용히 혼자나았다. 에어백이 터지면서 얼굴도 터졌고, 오른 눈을 잃을 뻔했다.

아무도 괜찮냐고 묻지 않았다

자동차 유리는 사고 시 둥글게 깨진다고 들었는데, 온몸에 유리가 박혀 처음 한 달은 크고 작은 시술로 계속 유리를 제거했다.

의사의 첫 소견은 '이번엔 수술이 불가피할 것 같은데, 전신 골절이라 아무것도 건드릴 수가 없다. 일단 뼈가 붙고 몸 상태가 호전돼야 수술을 시도할 수 있으니 절대 안정이 필요하다. 얼굴도 피부 성형 수술을 해야 할 것 같다'는 매우 절망적인 말뿐이었다. 기약 없는 긴 고통의 시간이 나를 기다리고 있음을 실감하자마자 사직 의사를 밝히고, 퇴사를 진행했다. 맡았던 일은 마무리하고 싶어 동료에게 노트북을 가져다 달라고 했다. 그리고 매일 의사에게 꾸중을 들으면서도, 병원에 누워서 마무리 지었다.

매일 아침저녁으로 이리저리 배달되며 다양한 검사를 받았다. 가장 큰 공포는 MRI 검사였다. 누운 상태로 둥근 원통에 들어가 30분만 참으면 된다는데, 호흡만 해도 찌릿하고 수시로 근육에 경련이 와 5분도 힘들었다. 두 시간쯤 지났을 때 너무 힘들어서, 차라리 나를 묶어달라고 했다. 한 달 정도 하다 보니 폐소공포증까지 생겼다.

처음 한 달은 밤마다 고비였다. 몸이 뒤틀리는 통증은 24시간 지속되었고, 특히 밤에는 고열이 지속되고 속이 울렁거렸다. 친절한 간호사가 수시로 장비들을 끌고 와 하루에도 몇 번씩 수치를 확인했지만, 수액을 맞기 위해 바늘을 꽂은 부분도 자꾸만 부어올랐다. 혼자 있을 때, 주치의에게 왜 밤마다 열이 나고, 계속 피를 뽑는 건지 물으니 염증 수치가 더 올라가면 패혈증이 될 수 있어서라고 했다. 혹시, 정말 만약에 운 좋게 다 나으면 걸을 수는 있는지 물으니, 확실하게 대답할 수 없다고 했다. 사람이 정말 암담하면 눈물도 나오지 않는다는 것을 그때 알았다. 결국, 그 해도 작년에 이어 병원에서 진통제를 맞으며 생일을 보냈다.

의사의 소견은 아무에게도 말하지 않았다. 우리 가족에게 '바이러스, 패혈증'은 거의 금기어였으니까. 대학병원에선 내가 좋은 학습 자료였는지, 아침엔 의사, 저녁엔 간호사들이 몰려와 다 같이 내 몸을 교재 삼아 내 증상과 다친 부위들을 가지고 열심히 배우고 익혔다.

추운 겨울에 실려 왔던 나는 여름이 올 때쯤 퇴원했다. 지긋지긋한 아이언맨 슈트(보조기)를 또 샀고, 다시 로봇 생활을 시작해야 했지만 살아있음에 진심으로 감사했다.

보조기를 착용하긴 했지만, 혼자 걸을 수 있게 되자마자 전화를 걸었다. 나를 죽이고 싶어 할, 진짜 나를 때리더라도 나는 아무 말도 할 수 없을 피해자에게. 직접 가서 사죄드리고 싶었다. 막상 도착해서도 병실에 들어가기까지 한참 걸렸다. 유리에 비친 내 모습은 사람을 죽일 뻔하고도 이제야 사과하러 온 괴물 같아 어쩐지 징그러웠다.

피해자는 수술을 앞두고 있었다. 밤새 어떻게 사죄드려야 할지 생각했는데, 막상 나 때문에 누워있는 피해자의 모습을 보니 머릿속이 하얘졌다. 차마 고개를 들 수 없어 모기보다도 작은 소리로 겨우 말했다.

"죄송합니다."

나였다면 일어나 힘껏 따귀라도 때렸을 텐데 피해자는 조용히 울었고, 보호자는 자리를 피해줬다. 그리고 그간의 상황을 들었다. 처음엔 나를 원망했다고 한다. 아침마다 어린 아기를 두고 출근하는 것도 가슴 아팠는데, 출근길에 날벼락을 맞아 일도 못 하고, 아기도 돌보지 못하는 최악의 상황에서 가해자는 사과조차 없으니까. 그래서 통증이 올 때마다 분노를 주체할 수 없어 고통스럽게 죽어버리라며 나를 저주했고, 잠들기 전에는 내가 죽기를 기도하며 혹시 살아난다면 합의 없이 처벌받게 하리라 다짐했다고 한다.

그런데 경찰에게 가해자가 실제로 밤마다 고비를 넘기는 중이고, 산다 해도 걷지 못하거나 그보다 더 안 좋을 거라는 말을 듣고부터는 마음이 계속 불편했다고 한다. 자신이 죽으라고 저주했던 것 때문인가 싶어 찜찜하고 마음에 걸렸는데, 이렇게 나아서 사과하러 와 줘서 정말 다행이라고 했다. 덕분에 이제 진짜 용서할 수 있게 됐다고. 자신이 더 고맙다고.

부끄럽게도 나는 사과가 늦어도 너무 늦었다는 사실을 알지 못했다. 더 솔직하게는 내가 사는 게 더 급했다. 제발 살려만 달라고 기도하던 나는, 위험한 고비를 넘기고부터는 걸을 수 있게 해달라고 기도했고, 후유증이 없게 해달라고 간절히 기도했다. 큰 고비를 넘기고 나면, 감사하기도 전에 또 다른 것을 간절히 빌었다.

불행 중 다행으로 작년 뺑소니 사고 후 자동차 보험을 제대로 들었더니 정말 편했다. 전부 알아서 처리할 테니 회복에만 집중하라는 보험사의 말에 이제 마음고생은 끝이라 생각했다. 그래도 예의 상 꼭 사죄드리고 싶은 마음에 병원에 찾아갔지만, 그건 내 마음이 편해지고 싶어서였지 제대로 된 사과도 아니었다. 잘못을 인정하고 사과하는 내 모습에 취해있었는지도 모르는 일이다.

내가 간과한 것이 있었다. 상황을 떠나서, 누군가를 다치게 했다면 진심으로 사과부터 해야 했다. 전화로든 누구를 통해서든 충분히 사과할 수 있었지만, 죄책감과 자기애에서 멈춘 내 생각은 나를 원망하며 고통스러워할 피해자에게까지 미치진 못했다. 나 같은 무책임한 가해자에게 과분하게도 피해자와 보호자는 너무나 선량하고 좋은 분들이었고, 결국 가해자는 가해자일 뿐이었다. 가해자라는 신분을 망각한 채 오직 나를 걱정하는 동안, 이미 억울하게 큰 피해를 입은 사람은 당연히 들어야 할 '죄송하다'는 말을 듣지 못해 또 다른 지옥을 겪고 있었다는 걸 너무 늦게 알아버렸다.

가해자라고 해서 끝까지 나쁜 인간일 필요는 없다. 당연히 자신으로 인해 발생한 일에 대해 책임도 져야겠지만, 그보다 잘못을 인정하고 진심으로 사과하는 것이 먼저다. 나는 그것을 제대로 하지 못했다.

때로는 모르는 것이
죄가 된다

보험사는 정말 믿음직했다. 병원에 실려 가서 퇴원할 때까지 모든 것을 완벽하게 처리해주었고, 심지어 레커차가 마음대로 끌고 간 내 차를 찾아와 폐차하고 보상까지 해줬다. 모든 것이 순조로웠고, 직장도 그만뒀기 때문에 회복에만 집중하기로 하고 독립을 앞당겼다. 본가에서는 물리 치료를 다니기도 힘들고, 이젠 차도 없으니까, 겸사겸사. 새롭게 시작하는 마음으로.

착각은 언제나 후폭풍을 몰고 온다.

독립한 지 2주쯤 후 집에서 연락이 왔다. 법원에서 형사재판 피의자 신분으로 공판에 출석하라는 통보가 온 것이다. 담당 경찰과 보험사에서 빙판길 사고라 처벌까지는 크게 없고 벌금이 나올 거라 했고, 피해자와 원만히 합의도 했기 때문에 크게 걱정하지 않았다. 안일한 마음으로 재판장에 들어섰고, 두 시간 넘게 남의 재판을 강제 방청하다 드디어 내 이름이 불렸다.

그때까지만 해도 아주 형식적인 재판이라 생각했다. 피해자와 합의도 끝난, 말 그대로 불의의 사고였으니까. 절차도 매우 간단했다. 선서 후, 검사가 사건 내용을 크게 읽었고, 판사는 내게 할 말이 있느냐고 했다. 검사가 피의자 조사도 없이 깔끔하게 내용을 잘 정리했기에 그냥 모두 인정한다고 했다. 나를 보는 검사의 눈이 날카롭게 빛났지만, 이제부터 내게 사고에 대해 물어볼 줄 알았다. 그런데 검사는 "피의자는 반성의 기미도 없고, 피해자의 용서를 받지도 못했습니다. 죄질이 나쁘고 피해가 큰 것을 감안하여 금고 10개월에 처해 주시기 바랍니다." 라고 말했고, 그렇게 끝났다.

재판장을 나오면서 무언가 잘못된 것 같아 경찰인 친구에게 연락했다. 친구는 내게 미쳤냐며 금고면 실형이라고, 당장 변호사를 찾아가라고 했다. 몰랐다. 정말 아무것도 몰랐다. 벌금 내역이 날아오면 벌금만 내고 끝인 줄 알았다. 변호사를 찾아가니 직원이 상담해 주었다. 어떻게 공판이 끝나고 찾아올 생각을 했느냐며, 1차 재판은 이제 끝났고 사실상 도와줄 수 있는 게 없으니 판결 후 항소할 때 찾아오라고 했다. 일이 점점 커졌다. 주저앉아 울고 싶었지만, 아직 혼자 서 있는 것도 힘든 상태라 택시를 타고 집에 돌아왔다. 암담했다. 보조기를 풀고 바닥에 누워 한참 울었다.

부랴부랴 자료를 검색해보니 법원 민원상담센터에서 상담을 받을 수 있다고 했다. 다음날 눈뜨자마자 법원에 찾아갔다. 그분도 일이 이렇게 되도록 가만히 있었느냐며 한마디 하시고는, 반성문을 써서 제출하라고 조언하셨다. 피해자와 이미 합의했으면 합의서랑 탄원서도 제출했어야지, 말을 안 하면 누가 아느냐는 묵직한 핀

잔도 들었다. 대학은 어떻게 나온 건지, 정말 등신이 따로 없었다.

아무것도 몰랐다. 아무도 말해주지 않았다. 내 교통사고가 검찰에 송치되고 재판까지 받는 줄도 몰랐고, 12대 중과실 교통사고로 가중처벌되는 줄도 몰랐다. 모든 것이 무섭고 정말 몰랐기에 당황스럽지만, 한심한 핑계일 뿐, 내 일이니 내가 관심을 가지고 알아봤어야 했다. 모르면 찾아봤어야 했다. 모르는 게 가끔은 아주 큰 죄가 되기도 하니까.

반성문의
수신인

인생 첫 반성문이 '형사 재판 반성문'일 줄은 꿈에도 몰랐다. 매일 자필 반성문을 제출하면 반성의 기미를 참작해서 형량이 줄어든다는 조언을 발견했다. 워낙 책도 좋아하고 글짓기로 상도 꽤 받아서 만만하게 생각했는데, 재판 반성문은 정말 힘들었다.

재판을 받는다는 것 자체가 스트레스고, 나는 작년에 뺑소니로 죽을 뻔했어도 보상도 받지 못했을 뿐더러(후에 자동차 손해배상 보장사업에서 보상받았다.) 이번엔 나도 빙판에 사고를 당했는데, 죽을죄를 지은 것처럼 반성문을 쓰려니 눈물이 났다. 살면서 이렇게 고통받아야 할 정도로 나쁘게 살지도 않았는데, 왜 나한테만 몇 년 동안 남들은 평생 한 번 겪을까 말까한 일이 줄지어 생기는 건지. 가만히 있다가도 울컥하고, 자다가도 소리를 지르면서 깼다.

그즈음 '힐링, 소소한 행복'을 최고로 여기는 분위기가 확산되면서 무한도전에서 '욜로특집(YOLO: You Only Live Once, 인생은

아무도 괜찮냐고 묻지 않았다

한 번뿐이다)'을 한 후로 욜로는 유행어가 됐다. 지인들에게서 나의 이야기(욜로족)가 무한도전에 나왔다는 연락이 많이 왔다. 내성격 자체가 좋게 보면 자존감이 높은 마이 웨이고, 실제로는 남한테 크게 관심도 없고 피해 주지 않는 선에서 눈치 안 보고 사는 스타일이라 내가 봐도 비슷했다. 사람들에게 힘든 이야기나 속내를 털어놓는 스타일이 아니라, 사고 소식도 모르는 사람이 더 많았다.

그런데 두 번의 큰 사고와 퇴사 소식을 알고도 '쿨하게 때려치우고 노는 네가 제일 부럽다'거나 '나도 백수하고 싶다', '너처럼 살고 싶다'는 말을 지속해서 듣다 보니 점점 상처가 됐다. 앉을 수도 없어 엎드려서 울면서 재판 반성문을 쓰는 것도 지칠 때쯤, 욜로족인 내가 부럽다고 연락하는 지인들에게 상황을 이야기했다. 말 안 하고 싶었지만 사실 재판을 받게 돼서 상황이 좋지 않으니, 욜로 소리좀 제발 그만 듣고 싶다고.

일주일쯤 쓰다 보니 요령이 생겼는지 영혼도 없이 아름답고 슬픈이야기를 지어내기도 했고, 얼핏 보면 추천서 같기도 했다. 계속 다시 썼다. 무엇보다 마음을 불편하게 만든 것은 반성문의 시작이 '존경하는 판사님'인 것이었다. 공정한 재판을 내릴 사법부에 존경을 표하는 것은 당연하지만, 잘못은 피해자에게 저지르고 용서는 판사에게 비는 것도 이상하고, 판사에게 제출한 반성문만으로 가해자의 반성 정도를 판단한다는 게 찜찜했다. 그래서 피해자에게 하고 싶은 말을 쓰기 시작했다. 나 때문에 큰 피해를 입고, 그 후에 더큰 정신적 고통을 당하게 된 것과 완전히 회복하기까지 불편해야 할 것들에 대해 정말 죄송하다고. 사고를 안 냈다면 제일 좋았겠지만, 사고를 내고도 너무 늦게 사과한 것도 부끄럽다고.

다음 날, 피해자에게 긴 메시지를 보냈다. 1차 공판에서 검사는 실형을 구형했고, 염치없게도 나는 실형 내신 벌금형을 받기 위해 반성문을 제출할 생각이라고. 하지만 내가 용서받고 싶은 분은 판사가 아니라 피해자니 당신께 보낸다고 한 번 더 사과했다. 피해자는 내 마음을 잘 알겠고, 탄원서를 제출해주고 싶다고 했다.

초조하게 결과를 기다리는 동안 뜨거운 여름이 됐고, 재판 결과를 들으러 법원에 갔다. 감사하게도 피해자와 직장 동료들의 탄원서 덕분에 벌금형을 받았다. 변호사 사무소에서 예측했던 금액의 두 배를 넘는 큰 금액이었다. 피해자에게 연락했다. 조금 전에 벌금형을 받았고, 나로 인해 피해자가 겪었을 지옥 같은 고통을 생각하면 적은 금액이라 항소는 하지 않을 계획이라고. 그리고 정말 죄송했다고 거듭 사죄했다.

생각지도 못한 긴 답장이 왔다. 그동안 마음고생 많았겠다고. 생각해보면 둘 다 사고를 당한 건데, 어린 사람이 용기 내서 찾아와 진심으로 고개 숙여 사과하고, 끝까지 책임지려고 노력하는 모습 보면서 처음에 저주하고 미워했던 게 내심 미안했다고. 재판도 끝났고, 진심으로 용서해 주고 싶으니 이제 그만 교통사고는 잊고 내가 잘 지냈으면 좋겠으니, 연락도 그만하라고 했다. 내 마음 편하고 싶어 보낸 이기적인 메시지에 비해 너무나 큰 선물이었다.

집에 돌아가는 택시 안에서 창피한 줄도 모르고 엄청나게 울었다.

숨 쉴 때마다 피가 마르던 재판이 드디어 끝났다고 생각하니 더없이 후련했고, 무엇보다 '용서해 주고 싶으니 이제 그만 힘들어도 된다'는 말을 들으니 좀 살 것 같았다. 그동안 이유도 모른 채 갑갑하고 불안하던 것은 아마도 가해자의 알량한 죄책감이었나 보다.

다시는 그 시간을 기억조차 하고 싶지 않을 정도로 힘들었지만, 얻은 것이 더 많다. 병원에 오래 누워있다 보니 평소엔 당연하게 여겼던 것들이 얼마나 감사한 일인지 절실히 깨달았다. 혼자 화장실에 가는 것, 내 손으로 머리를 감는 것들이 얼마나 기쁜 일인지.
그리고 죄책감으로 무거운 마음을 덜고 홀가분해지는 방법을 배운 것도 내 인생에서는 매우 값진 가르침이다. 나의 잘못을 인정하고 마음을 담아 사과하는 것, 그리고 피해자의 용서를 받는 것이 스스로를 비로소 용서할 수 있게 해주었기 때문이다.

마른
익사

물에 빠져 죽는 것을 익사(溺死)라고 한다. 물속에서 질식하는 젖은 익사와 물속에서 여러 번 먹은 물이 조금씩 폐에 들어가 염증을 일으키는 동안 느끼지 못하다가 물 밖에 나와 서서히 익사하는 마른 익사(건조한 익사)가 있다. 마른 익사는 물놀이 후 겪는 일반적 증상과 같기 때문에 자각하기가 쉽지 않아 매우 위험하다고 한다.

그동안 걸어온 길을 되돌아보면, 그저 앞만 보고 달리느라 나 자신을 돌아볼 여유가 없었다. '오늘'은 그저 내일을 위해 달려나가는 수많은 날 중 하루일 뿐이었다. 그때의 나에게 인생이란, 낡아빠진 뗏목을 붙들고 아슬아슬하게 바다를 항해하는 일이었다. 그러다 생기는 작은 생채기쯤은 알아서 낫겠거니 하며 내버려 두었다. 갑자기 들이치는 풍랑에 중심을 잃고 물에 빠져 허우적거리다 질식하기 직전에 간신히 구출되기를 수차례. 남들은 멀쩡하게 잘만 가는데 혼자만 흔들리는 게 억울하고 화도 났지만, 매번 살아있음에 감사하며 다시 씩씩하게 길을 나섰다.

아무도 괜찮냐고 묻지 않았다

그저 평범하게 살고 싶었다. 더 이상의 시련은 없기를 기도하는 마음으로 심기일전하고, 부서진 곳을 수리했다. 다시 세상에 나가 열심히 노를 젓고 있노라니 여기저기에서 내 뗏목을 흔들며 물을 뿌리기 시작했다. 그들은 처음엔 항의하는 내게 사과하는 듯했지만 뗏목은 강제로 뒤집혔고, 나는 결국 물에 빠졌다. 침착하려 했지만 진정되지 않았고, 그들은 옷에 튄 물방울들을 툭툭 털고 다시 평온하게 그들의 일상을 향해 나아갔다.

물속에서 허우적거리는 나의 눈에 비친 사람들의 뒷모습은 다양했다. 걱정스러운 얼굴로 다가와 상황을 캐묻고는 그렇게 처신을 잘하지 그랬냐며 나를 탓하는 사람, 자신에게 물이라도 튈까 전전긍긍하며 멀리 돌아가는 사람, 혹시 내가 스스로 자초한 일은 아니냐며 조롱하는 사람 그리고 나중에라도 마주칠까 아예 내 뗏목을 치워버리는 사람도 있었다.

어떻게든 도와주려 손을 내밀지만 자기 혼자서도 이미 벅찬 사람, 묵묵히 기다려주는 사람 그리고 안타깝게 지켜보는 사람들도 많았다. 정말 고마웠지만, 그들에게 철저히 거리를 뒀다. 행여나 다음 타자로 지목되거나 끈질기게 따라다니는 먹구름이 옮을까 봐.

더는 물장구를 칠 이유가 없다고 생각한 순간 모든 것이 멈췄고, 나는 그대로 가라앉기 시작했다. 이대로 가다간 내가 죽을 수도 있다는 생각이 든 어느 새벽, 창가에서 들려오는 새소리에 문득 살고 싶다는 생각이 스쳤다. 내 발로 병원을 찾아갔다.

오늘도 바람은 불어오고

내가 어떤 상태인지조차 알 수 없었다. 안개 자욱한 늪에서 낯선 공기에 움츠러든 채, 그저 허우적거릴 뿐이었다. 숨을 쉴 수가 없는데, 왜 이런 건지 알 수 없으니 모든 것이 두려웠다. 겨우겨우 물에서 빠져나왔다고 생각했지만, 숨 쉬는 모든 순간이 물먹은 솜처럼 온통 눅눅했다.

후유증은 오래갔다. 넓은 바다에서 죽을 뻔했기 때문에 물도 무섭고 뗏목도 무서웠다. 그중 진절머리 나게 무서운 것은 단연 사람이었다. 몸에 묻은 물기를 모두 털어냈지만, 여전히 머릿속은 먹먹했다. 잊고 있던 지난날의 고통이 소환되었고, 눈에 보이는 모든 것이 공포의 대상이 되었다. 평온했던 일상에 균열이 생기기 시작했다. 사람도 다 싫고, 아무도 믿을 수 없게 되어버렸다. 축축한 기운을 더는 견딜 수 없어 모두 내려놓고 집으로 돌아왔지만, 여전히 보이지 않는 물속에 잠겨 있었다.

그렇게 나에게서 내 진짜 감정이 사라지는 동안, 서서히 쌓인 빗물은 발끝부터 차오르기 시작해 영혼을 물들여버렸다. 나 스스로 숨 쉴 틈조차 차단해버린 탓에, 오도 가도 못하는 나의 감정은 곰팡이로 뒤덮이고 말았다. 그게 내가 겪은 우울증이다.

세상은휴대전화공포증
절찬리판매중

낯설고도 흔한
휴대 전화 공포증

휴대 전화 공포증이라는 말을 들었을 땐 웃음이 나왔다. 정식 의학 용어도 아니고, 많고 많은 것 중에 지금 당장 부숴버릴 수도 있는 휴대 전화 따위를 무서워하고 있다니. 충격적인 것은 아직도 그 한심한 휴대 전화 공포증만은 완전히 극복하지 못했다는 사실이다.

의사의 말에 의하면 '노모포비아(no mobile-phone phobia, 휴대 전화가 없으면 불안해지는 증상)'나 '콜포비아(call phobia, 통화 공포증)'와는 다른 개념으로, 어떠한 계기로 인해 특정 대상을 두려워하는 것을 포비아(공포증)라고 하는데, 나는 그 대상이 휴대 전화인 것이다.

내게 극심한 스트레스를 준 사건들은 모두 사람에 의한 것이었다. 배신과 실망감, 휴대 전화 너머에서 들려오는 지속적인 폭언과 감정 배설물들, 그저 내가 참아 주길 기대하던 분위기 그리고 나는 아무것도 할 수 없다는 것을 깨닫는 데서 오는 무력감, 자책, 불면증, 우울증. 꼬리를 물고 발생하는 이상 증세로 인한 건강 염려증

아무도 괜찮냐고 묻지 않았다

과 공포심. 언젠가부터 전화벨이 울리거나 내가 안전하지 않다는 느낌이 들면 공황 상태에 빠졌다. 숨을 쉬기가 힘들었고, 바닥에 땀이 뚝뚝 떨어졌다. 아마도 머릿속에선 그 고통을 고스란히 전해 주던 매개체인 휴대 전화가 악의 근원쯤으로 입력된 모양이었다.

의사는 내 기분을 물었고, 나는 한심하다고 했다. 사회생활을 나 혼자만 하는 것도 아니고 다들 이런저런 일 겪으며 살아갈 텐데, 왜 나만 혼자 뒷걸음질 치고 있는 건지 답답했다. 의사는 정신과 상담은 부끄럽거나 한심한 일이 아니라, 환자가 아픈 곳을 치료하는 의료행위라고 했다.

사람은 극심한 고통 앞에서 무의식중에 그것을 견디기 위해 다양한 방어 기제를 사용한다. 나는 내 감정을 외면하는 것을 택했고, 나의 분노와 원망은 차마 사람을 향하지 못하고 휴대 전화를 선택한 것이다. 사실 진짜 치료를 통해 교정 받아야 할 사람들은 따로 있는데, 엉뚱하게 그 사람에게 피해를 입은 사람들이 치료를 받기도 한다고 했다. 그리고 휴대 전화 공포증을 호소하는 사람이 꽤 많다고 했다. 주로 사회생활을 하는 직장인들이었다.

꽤 흔한 증상이라는 말에 위안이 되면서도, 한편으로는 참 쓸쓸하다. 세상이 발전할수록 남을 괴롭히는 방법도 스마트해진다. 현대인의 필수품이 되어버린 휴대 전화는 인간의 삶을 편리하게 해 주는 동시에 스마트형 지옥을 열어 주었다. 휴대 전화 공포증을 호소하는 사람은 늘어만 가는데, 피해자는 있어도 가해자는 없다.

가장 큰 문제는 다양한 방법으로 남을 괴롭히는 사람들과 그런 행동들이 선택적으로 묵인되는 사회 분위기일 것이다. 겪어본 사회생활이라고 해 봐야 10년 남짓, 그것도 한국이 전부지만 내가 겪은 사회는 결승선도, 룰도 없는 마라톤 경기 같았다. 명확한 기준은 없지만, 누군가 그어놓은 그 기준을 넘어야만 평범함을 인정받을 수 있고, 아무리 열심히 해도 눈에 보이지 않는 벽에 부딪히면 이유도 모른 채 멈춰야 했다. 무더운 여름날 비닐하우스에 갇힌 것처럼 숨이 막혔다.

　여전히 바람은 불고 시간은 흘러가고 있다. 휴대 전화에 대한 공포를 딛고 앞으로 나아가려면, 멈춰버린 시간 속에서 스스로 걸어 나와야 했다. 지피지기면 백전백승이라는 말을 굳게 믿으며 나를 힘들게 했던 것들을 마주하기 시작했다. 살기 위해.

아무도 괜찮냐고 묻지 않았다

대한민국에만 존재하는
꼰대와 화병

대한민국은 참 신기하고 대단한 국가다. 아시아 대륙 끝, 아주 작은 이 나라는 끊임없는 침략과 전쟁 속에서도 끝끝내 나라와 민족을 지켜낸다. 한 나라의 왕이 백성을 위해 시력을 잃어가면서도 문자를 만들었고, 코로나19 바이러스로 전 세계가 신음하는 가운데 가장 우수한 진단키트를 만들어냈다.

이렇게 자랑스러운 대한민국에는 그다지 자랑스럽지 않은 특별한 문화도 있다. 대체할 단어가 없어 영문표기도 그대로 인정받은 꼰대(Kkondae)와 화병(Hwa-byung)이 그것이다. '꼰대'는 권위적인 어른, 선생님을 비하하는 학생들의 은어였지만, 이제는 '자신의 경험을 일반화하여 젊은 사람에게 어떤 생각이나 행동 방식을 일방적으로 강요하는 기성세대'를 아우르는 말이 되었다. 2019년 9월 23일 영국 BBC방송 페이스북 페이지에 '오늘의 단어'로 소개되기까지 했다.

인터넷에 돌아다니는 유머 속 꼰대는 대개 부장님이다. '나 때는 ~'으로 시작해 결국 '내 말이 맞으니, 넌 그냥 따르라'는 기적의 무논리 대화법을 구사하며 '라떼'이라는 신조어까지 만들어냈다. 주로 그 피해는 젊은 사람이 입게 되는데, 유교 문화까지 뒤섞인 한국 사회에서는 나이가 벼슬이 되기도 한다. 웃어른을 공경하고 윗사람을 존중해야 하는 것은 맞지만, 마땅히 사과해야 하는 상황에서도 아랫사람의 도리를 운운하며 적반하장을 선보이는 경우를 종종 보게 된다.

화병(火病)은 서구 문화에서는 나타나지 않는 한국적 진단명으로, 울화병이라고도 한다. 억울하고 화가 나는 상황에서 그것이 해결되지 않아 결국 불(火)처럼 폭발하는 것인데, 《홧병》의 저자 김종우가 1996년 미국 정신의학회에서 '화병(도서명은 홧병)'을 우리나라 문화 특유의 증후군으로 처음 등재했다고 한다.

사람들은 화병의 원인으로 한국 사회의 수직적 권력 구조를 지적한다. 권력 구조에서 하위에 있는 사람은 위기 상황에서 가장 먼저 버려지는 카드가 될 텐데, 불합리한 상황이라 해도 자신의 목숨 줄을 쥐고 있는 상사 혹은 관리자에게 항의할 수 있는 사람이 얼마나 되겠냐는 것이다. 옳은 소리를 했다가는 '계약 만료'라는 합법적 내몰림을 당할 것이 뻔한 상황에서.

타인의 가슴속에 은근한 불씨를 지피는 꼰대와 화병 유발자들은 한국인 특유의 정(情)과 유교 문화 그리고 애정과 관심의 표현이라는 든든한 울타리 속에 시나브로 녹아들어 늘 우리 주변에 잠복하고 있다. 내가 겪은 꼰대는 나이, 성별, 학력을 초월한 무적이었다. 이들의 공격은 남녀노소 구분 없이 공평한 특성을 지니는데, 자신의 발언에 발끈하면 예민한 사람, 제멋대로인 사과에 응하지 않으면 융통성 없는 사람으로 만들며 본인이 피해자 행세를 하기도 한다.

특히 사회 초년생은 그들이 가장 사랑하는 공격 대상이다. 누군가 결혼하면 독립된 가정을 이룬 이상 양측 부모라도 조심해야 할 출산과 육아, 가사 분배 및 효도를 놓고 무례할 정도로 간섭한다. 미혼도 예외는 없다. 결혼은 언제 할 건지, 왜 안 하는지, 연애 사업은 어떻게 되어 가고 있는지 꼬치꼬치 캐묻고, 싫다는데도 본인 지인이나 나이 차 많은 아무나와 강제로 엮으려 든다. 비혼은 개인의 선택인데, 군이 본인이 열을 내며 그것이 얼마나 잘못된 일인지 웅변을 펼치기도 한다.

십 년이면 강산도 변한다는데, 고인 물은 여전히 변화를 거부하며 악취를 풍기고 있다. 비단 나이 많은 사람들만의 문제는 아닐 것이다. 어린 꼰대도 많고, 본받고 싶은 어르신도 많다. 내가 느낀 꼰대들의 문제는 자신이 만들어놓은 세계관 속에 갇혀, 그 바깥에 있는 모든 것들을 틀렸다고 여기는 것이었다. 이런 사람들은 본인 눈에만 틀린 것들을 견디지 못하고, 자꾸만 충고한다. 그것이 아무리 애정에서 비롯된 조언일지라도 업무나 공부처럼 도움이 필요한 부분이 아니라면 상당히 무례하고 부끄러운 행동이라는 걸 모른다.

인간관계에서 발생하는 대부분의 문제는 인정과 존중만으로도 해결되는 경우가 많다. 개개인의 인격체 자체를 존중하기만 해도 상당수의 고통은 즉시 해결될 것이라 생각한다. 보이는 대로 그 자체를 인정하는 습관을 들이면, 나와 다른 모습을 보더라도 못 견디게 이상할 일도 아니다. 사실 사람들 눈에 제일 이상하고 정말로 틀린 사람은 나일 수도 있고.

이제는 우리 사회도 나이와 지위를 떠나 개개인을 독립적인 하나의 인격체로 인정하는 분위기가 되면 좋겠다. '우리 때'와는 달라지는 다음 세대의 문화와 가치관을 존중하고, 시대의 요구에 맞지 않는 관습이나 법은 점차 수정하고 조율한다면, 적어도 꼰대 취급을 받거나 누군가의 가슴에 평생 잊지 못할 천 년의 분노를 안겨 주는 부끄러운 행동은 피할 수 있지 않을까.

우리 때는 훨씬 심했고, 나는 이대로가 좋아 굳이 변하고 싶지 않다며 귀 막고 고집부리는 동안 떠나버린 사람들은 훗날 내가 도움을 요청할 때 똑같이 눈을 감고, 귀를 막을 지도 모른다.

생각을 강요하는 정서적 폭력, 가스라이팅

잭은 윗집 부인의 보석을 훔치기 위해 그녀를 살해한 후, 고민에 빠진다. 아래층엔 아내 벨라가 있다. 위에서 가스등을 켜고 보석을 찾으면, 부스럭거리는 소리와 희미해진 불빛 때문에 자신의 범죄를 들킬 수도 있다. 고민 끝에 그는 물건들을 일부러 숨기고, 아내 벨라를 탓하며 신경질적으로 몰아붙여 그녀를 심리적으로 위축되게 만든다.

그 후 잭이 윗집에서 가스등을 켜고 물건을 뒤지는 소리가 들려오고, 불빛이 흔들린다. 이상하게 여긴 벨라가 잭에게 이야기하지만, 그는 벨라의 의견이나 감정을 철저히 무시하고 예민한 사람 취급한다. 이런 일이 반복될수록 점점 무기력해지다, 현실감과 판단력을 잃은 벨라는 결국 잭의 심리적 지배를 받게 된다. 1938년 제작된 연극 〈가스등(Gas Light)〉의 내용이다.

가스라이팅이란, 타인의 심리나 상황을 교묘하게 조작해 현실감각이나 판단력을 잃고 스스로를 의심하게 만들어, 결국 자신의 지배하에 놓이게 하고 그를 통제하는 정서적 학대를 말한다. 가족, 직장, 사회, 친구, 연인 등 다양한 관계에서 발생하며 가해자는 주로 직장 상사나 선배, 애인, 부모처럼 영향력이 큰 사람인 경우기 많다. 가해자는 피해자의 실수나 약점, 치부를 들추고 그것을 각인시켜 위축되게 만들어, 스스로를 불신하게 만든다. 다른 사람은 이해하지 못해도 나는 유일하게 너를 이해하고 사랑해 줄 사람이라 세뇌시켜 피해자는 점점 가해자에게 의지하게 된다.

가해자는 피해자의 의견이나 감정을 인정해 주지 않고, 예민한 사람, 실수가 잦은 사람으로 치부한다. 연이은 타박과 세뇌에 주눅이 들어 점차 현실 감각, 판단력이 흐려진 피해자는 결국 스스로를 불신하며, 이성과 감정을 모두 통제당하는 상황에 놓이게 된다. 동시에 가해자를 맹신하게 되기 때문에 누군가의 도움으로 가해자의 지배에서 벗어나더라도 무기력함에서 벗어나기가 쉽지 않고, 심지어 가해자를 옹호하기도 한다.

최근 데이트 폭력이 심각한 사회 문제로 대두되면서 가스라이팅이라는 용어도 매스컴에 자주 등장하고 있는데, 가족, 친구, 선배, 상사, 동료 등 어떤 관계에서도 발생할 수 있다. 내 말은 모두 어리고 유치하며 틀렸고, 나 같은 부족한 사람을 이해해 줄 사람은 본인뿐이라는 사람, 본인에게 우호적인 내 마음을 이용하며 자기 입맛에 맞게 휘두르기 위해 강요하거나 조르는 사람, 본인의 폭력에 내 잘못도 있다며 나를 탓하는 사람에게 지속적으로 세뇌를 당하

아무도 괜찮냐고 묻지 않았다

다 보면 심하게 맞고도 '내가 맞을 짓을 했다'거나 '그래도 이 사람 밖에 나를 사랑해 줄 사람은 없다'는 등 정말 세뇌당한 대로 생각하게 된다.

곧 정규직이 될 수 있다며 계약직 사원을 성실한 노예로 만드는 상사, 보호자의 보살핌을 받지 못하는 청소년의 심리 상태를 악용하여 성범죄를 저지르는 사람, 부모라는 이유로 자녀의 인격과 자존감을 무참히 짓밟고 본인 화풀이 대상으로 여기는 부모도 가스라이팅 가해자에 해당한다.

안타깝게도 피해자는 자신이 심리적으로 지배받는 상황을 인지하는 것조차 힘들다고 한다. 신뢰와 애정 혹은 지배 관계 우위에 있는 상대에게 오랜 기간 억압, 회유로 세뇌당하면서 가해자를 절대적으로 신뢰하기 때문에, 누군가 잘못되었음을 알려줘도 그것을 받아들이지 못한다. 잘못된 관계임을 알더라도, 가해자와 떨어져서는 살 수 없다고 생각하게 되면 오히려 가해자를 두둔하거나 가해자의 잘못을 숨기고, 바른말을 해주는 사람을 멀리하기도 한다. 피해자는 스스로 가해자의 심리적 지배에서 벗어나기가 쉽지 않다.

가해자 중에는 자신의 행동이 가스라이팅인 줄 모르거나 심지어 잘못된 행동이라고 생각하지 않는 경우도 있다. 본인이 사회적, 심리적 우위에 있기 때문에 차마 거절하지 못하는 상대를 함부로 대해도 된다는 착각에 빠져, 그들의 의견은 다른 게 아니라 '틀린 것'이기에 자신의 조언을 통해 고쳐 주겠다는 의지를 보이기도 한다.

사람들은 자존감이 낮은 사람들이 가스라이팅 피해자가 되는 경우가 많다고 하지만, 가해자의 경우도 자존감이 높은 사람으로 보이지는 않는다. 스스로에 대한 존중과 애정이 있다면 누군가를 괴롭히면서까지 즐거움이나 만족을 느껴야 할 이유가 없지 않을까. 본인 입장에서는 상대를 이기는 마음으로 아낌없이 전하는 꿀팁 같은 조언들이 사실은 누군가의 삶을 내 입맛에 맞게 조종하며 심리적으로 억압하고 있진 않은지 생각해 볼 필요가 있다.

태어나면서부터 나의 세상이고 전부였던 가족, 내가 많이 사랑하는 사람 혹은 존경하고 의지하는 사람이 나의 모든 것을 부정하며 내 생각이 어리고, 틀렸다고 압박하면 어떨까? 처음에는 서운하고 말겠지만, 그것이 지속되고 반복되면 피해자는 주눅이 들 수밖에 없다. 사람과 사람 사이에는 관계 이상의 복합적인 요소들이 얽혀 있기에 그것을 단호하게 잘라낸다는 것은 선뜻 용기를 내고 바로 실행할 수 있는 성격의 것이 아니다. 내가 심리적으로 지배를 받고 있다는 사실을 알아차리기조차 쉽지 않고, 천만다행으로 그것을 인지하더라도 하루아침에 사람을 버리거나 퇴사하는 일은 간단하지 않다. 미성년자라면 더더욱.

가스라이팅이 지속되는 관계에서는 더 많이 좋아하는 쪽이 희생을 감수하며 견디거나, 서서히 자기 자신을 보호하며 힘을 모아 끊어 내야 한다. 어쨌든 관계를 끝내야 하는 사람은 피해자다. 관계가 지속된다 해도 가해자는 손해 볼 게 없지만, 피해자는 최악의 경우 생명을 빼앗기거나 살아 있긴 하더라도 영혼을 빼앗긴 채 껍데기로만 살아야 한다.

물리적인 힘을 이용해 때리는 것만이 폭력은 아니다. 누군가를 비방하거나 위협하는 것, 예쁜 말투와 부드러운 표현으로 심리적인 압박을 가해 굴복시키는 것, 상대방이 괴로워하는데도 일방적으로 찾아가 사과하며 용서를 강요하는 것 모두 폭력이다. 당하는 사람이 고통스럽다면, 그것이 관심이든 애정이든 이름만 다를 뿐 결국은 폭력에 불과하다. 아무리 좋은 의도와 선한 마음으로 시작했다고 해도 상대가 불편을 느낀다면 이미 그것은 선(善)이 아니다. 선한 모습을 하는 악마일 뿐이다.

혐오의
시대

요즘 뉴스나 인터넷 글에 달리는 댓글을 보면 괜히 마음이 착잡해진다. 죄를 지은 사람에게 쏟아지는 비판은 그가 감수해야 할 일이겠지만, 가끔 천 년 묵은 한을 토해내는 듯한 분풀이성 댓글을 보면 간담이 서늘할 때가 있다. 전혀 상관없는 내가 읽어도 가끔 상처를 받는다.

유명인의 경우 사실 여부도 모른 채, 그저 논란의 대상이 되었다는 사실만으로도 엄청난 비난이 쏟아진다. 일부 발 빠른 사람들은 퇴출 운동을 거론하기도 한다. 억울하게 무고를 당해 성범죄자로 낙인찍힌 어느 시인은 대중들의 비난뿐만 아니라 준비 중이던 작업이 모두 취소당하는 손해를 입기도 했다. 다행히 진실이 밝혀져도 무고죄는 죄질에 비해 형량이 가볍고, 대중들은 관심이 없다.

기부 금액이 많지 않다고, 어린 연예인이 외제 차를 탄다고 비난한다. 해당 연예인이 힘들어하면, 그 정도로 힘들어할 거면 연예인을 관둬야 하는 것 아니냐는 싸늘한 반응을 보이기도 한다. 심각성을 인지한 포털 사이트들은 연예 기사의 댓글 기능을 막기도 하고, 댓글 작성자의 기존 댓글을 공개하기도 한다. 분노의 댓글 공격에 슬픈 선택을 하는 연예인이 늘어나면서 생긴 작은 변화다. 작게나마 과도한 비방이나 욕설에 제동을 걸기 시작했다.

범죄나 논란이 발생하면 한 사람의 잘못으로 그가 속한 집단이나 성별 혹은 지역이 함께 비난을 받기도 한다. 가끔 도를 넘은 남녀 간 대립구도의 양상을 보이기도 하는데, 극단적 이념을 추구하는 특정 사이트를 거론하거나 한국 사람끼리 '한남', '한녀'라며 서로의 성별과 공통되는 국가를 비난한다. 이기적이고 몰상식한 어느 부모의 행동은 모든 부모를 '맘충', '애비충'으로 만들고, 공무원의 잘못은 공무원 전체를 '철밥통'의 '월급 루팡(일은 안 하고 월급만 축내는 사람)'으로 불리게 한다. 교사의 잘못은 연봉을 12개월로 분할해서 받는 시스템조차 '방학 때 놀면서 돈 받는' 악행이 되게 한다.
정부는 비난 지분이 가장 높은 동네북이다. 아무리 나라님 욕도 하는 세상이라지만, 자연재해가 발생해도 정부 탓, 외국에서 우리나라에 비상식적인 행동을 해도 정부 탓을 하는 사람도 있다. 선조들은 목숨을 바치며 국권을 회복하기 위해 싸웠던 대한민국이지만, 후손들은 자신의 조국을 '헬조선'이라 칭하며 스스로의 뿌리를 비웃는다.

분노와 혐오는 우리가 쓰는 말에도 녹아들고 있다. 자기 취향이 아니면 그냥 싫은 게 아니라 '개'싫다고 한다. 짜증이 아니라 '개짜증', 혐오도 아니고 '극혐', '개극혐'한다. 부정적 표현일수록 앞에 더 강렬하고 부정적인 의미를 지닌 부사나 관형어, 접두사가 붙는다. 긍정적 표현에도 부정적 의미를 가진 말을 쓰며 강조한다. 좋은 게 아니라 '개'좋고, '개'맛있다. 언어유희라기엔 듣기에 거북한 수준의 표현도 서슴지 않는다.

분노와 비난 릴레이는 하나의 거대한 흐름이 되어가는 듯하다. 살기 힘든 세상, 이렇게 욕이라도 안 하면 스트레스를 어떻게 풀 겠느냐고 한다면 할 말 없지만, 꼭 분노와 혐오를 담은 말로 누군 가를 공격해야만 풀리는 스트레스라면 정상적인 상태라고 생각되진 않는다. 심지어 나의 말이 누군가에겐 새로운 스트레스가 되고 상처가 된다면 결코 건강한 표출 방식이라고 할 수는 없을 것이다.

같이 화내야 할 일에 힘을 합쳐주는 것이 아니라 나보다 약하고 저항할 수 없는, 혹은 질투의 대상에게만 선택적으로 향하는 분노의 화살은 의롭지도 않으며 누구에게도 공감 받을 수 없다.

우리 민족을 일컫는 말 중 '해학(諧謔)의 민족'은 참 근사한 표현이다. 힘든 상황 속에서도 좌절하고 주저앉기보다는 어이가 없는 상황마저도 웃음으로 이겨내던 풍자의 민족. 고된 노동에 신세 한탄이 아닌 노동요를 만들어 부르던 민족. 눈앞에 닥친 위기 속에서도 또 다른 돌파구를 찾아 위기를 기회로 만드는 민족. 코로나 사태로 강원 지역 농민들이 피땀 흘려 수확한 감자가 저온창고에서 썩어간다는 말을 듣고, 본인 SNS에서 감자를 홍보하던 도지사를 가진 민족. 우리는 그런 민족이다.

비난과 비판 그리고 해학과 조롱은 같은 듯 다르다. 누군가의 생각이 말이나 행동으로 표출되면서부터는 그 한마디가 미칠 영향의 크기를 가늠할 수조차 없다. 방향을 잃은 무차별적 분노는 정당성을 인정받을 수 없다. 누군가를 깎아내려야만 스트레스가 풀리고, 나의 존재감을 인정받는 느낌이 든다면 내 마음은 건강한 삶에서 너무 멀리 와버린 것이다. 무심코 던진 돌에 누군가 맞아 죽은 다음 뼈아픈 반성을 한다 해도 그땐 되돌릴 수 없다. 이번엔 내가 세상의 분노와 비난을 받을 차례다.

내가 힘드니 너도 행복해선 안 된다며 모두 끌어내려 하향 평준화를 만들기 시작하면 결국 나도 누군가에 의해 끌어내려질 수밖에 없다. 속에 담아두고 혼자 삭이는 것도 병이 되는 지름길이지만, 무분별하게 남에게 나의 분노를 퍼붓는 것은 둘 다 병드는 일이다. 남의 마음에 죄를 짓는 일이다.

세상은 휴대 전화 공포증 절찬리 판매 중

고슴도치야
사람들이 미안해

　여자는 엄마가 되면 기적을 일으키고, 남자는 아버지가 되면 어른이 된다. 아이를 품는 동안 뼈가 벌어지고, 본인 몸이 망가지면서도 엄마는 최후의 순간까지 아이를 지킨다. 부모가 되면 인생의 무게가 달라지고, 결국 누가 뭐래도 세상에서 제일 예쁜 내 새끼에 눈이 머는 고슴도치가 되어간다.

　우리 부모님도 예외는 아니다. 우리 가족은 엄마를 닮아서 손가락이 굵은데, 어릴 때부터 손 예쁘다는 칭찬을 들으며 자란 나는, 정말로 내 손이 예쁜 줄 알았다. 병원에서도 엄마의 고슴도치 세계관은 여전했다. 중환자실에서 오랜 시간 죽음과 사투를 벌였던 엄마는 과도한 약물 투여 부작용으로 한 달 정도 섬망 증세에 시달렸는데, 헛것을 보며 남자 목소리로 이상한 말을 하면서도 유일하게 온순해지는 대상이 있었다.

　나를 의사로 착각했는지 엄마는 나만 보면 '예쁜 선생님 오셨다' 며 공손하게 인사하고 얌전해졌고, 그 틈에 간호사들이 주삿바늘을 꽂고 뜯어진 것들을 다시 붙였다. 퇴근길에 지친 얼굴로 병원에 가면, 큰딸도 못 알아보면서, 항상 사람들에게 저 선생님 참 예쁘지 않냐며 극찬했다. 물론 나는 나 자신을 사랑하지만, 누가 봐도 극찬을 받을 미인은 아닌데 대부분 누군가의 엄마이고 오래 아픈 분들이라 그런지 집단 최면에라도 걸린 듯했다.

'엄마 마음은 다 그렇다'거나 '원래 그 나이는 그냥 예쁘다'며 눈물을 훔치시는 바람에 나는 미스코리아 대회에 나간 일반인처럼 어색하게 웃기만 했다. 이때까지만 해도 내가 알던 고슴도치는 자식을 사랑하는 부모님 마음을 대변하는, 긍정의 단어였다.

언젠가부터 고슴도치의 의미가 퇴색되었다. 제 자식 귀한 줄만 알고, 남의 자식은 존중할 줄 모르는 사람들 때문에 애꿎은 고슴도치가 욕을 먹고 있다. 과거에는 자식이 잘못을 저지르면, 가정에서 부모가 엄하게 혼냈다. 아들이 학교에서 다른 친구를 괴롭혔다는 연락을 받은 어머니는 아이를 따끔하게 혼내고 즉시 아이와 함께 피해자를 찾아가 학생과 부모에게 무릎 꿇고 정중히 사과했다. 학교에도 자식을 잘못 가르쳤다고 사과하고 처분에 따랐다.

어떤 사람들은 '귀한 내 새끼'가 바르게 잘 자라는 것보다 흠집 안 나기만을 바라는 것 같다. 걷지도 못하는 아이에게 오감 체험학습이나 영어 공부는 시켜도 예절은 가르치지 않는다. 밥상머리에서 기본적인 도리와 사람으로서 지켜야 할 예절을 가르칠 사람은 부모인데, 소중한 내 아이에게 인간답게 행동할 기회를 주지 않는다. 언젠가부터 자존감이라는 말이 열풍을 일으키면서 아이를 혼내지 않고 오냐오냐하는 훈육 방법이 자존감이 높은 아이로 성장하게 한다고 착각하는 사람이 많다. 안타까운 일이다. 본인 자녀에게 피해를 입은 아이도 누군가의 소중한 자녀라는 사실을 왜 모를까.

　가끔 동물들한테 괜히 미안한 마음이 든다. 생명에 위협을 느껴 스스로를 보호하기 위해 사람을 공격하는 동물에게는 잘못이 없다. 인간의 욕심에서 비롯된 이기적인 행동에 피해를 입고 버려지거나 죽임을 당하는 것은 늘 동물이었다. 제 새끼가 아무리 귀해도 남의 눈에 피눈물이 나게 한 적은 없을 텐데, 고슴도치는 괜히 몰상식한 인간들 때문에 부끄러운 부모들을 욕할 때마다 소환되고 있다.
　사람의 말을 하면서 동물만도 못한 인간들 때문에 동물들의 명예가 실추되고 있으니 같은 인간으로서 부끄러운 일이 아닐 수 없다.

인간 부품화 작업

　문학 시간에 인간 소외 현상에 대해 처음 배우던 날, 그 어둡고 눅눅하던 공기가 아직도 생생하다. 산업화로 급격히 발전하는 도시에 적응하지 못하고 방황하는 개인, 아무리 열심히 일해도 최저 생계비용조차 보장받지 못하는 노동자의 삶은 비참했다. 사람답게 살고자 돈을 벌지만, 돈을 벌기 위해 사람이기를 포기하는 지경에 이르고, 결국 인간의 삶에서 인간이 소외되고 만다.

　노동자들의 피나는 노력과 눈물이 모여 점차 국가 경제가 발전하기 시작했다. 2020년 3월 기준 한국의 국가 GDP는 193개국 중 12위, 1인당 GDP 3만 달러 이상을 기록했다. 국가 수준은 계속 발전하고 있는데, 안타깝게도 우리 피부에 와닿는 체감 온도는 현저히 낮다. 모든 것이 당연하게 오르는 가운데 월급만은 꿋꿋이 제자리를 지키는 곳이 여전히 많고, 생활고를 견디지 못해 일가족이 세상을 떠났다는 비통한 뉴스도 잊을 만하면 들려온다.

　과거 산업화 시대에는 노동자 대부분이 기계 취급을 받았다면, 절대적 빈곤에서 벗어난 지금은 노동자 중에서도 계약직이나 일용직 신분의 노동자들이 부품처럼 취급된다. 항의나 민원을 처리하는 업무는 그들 몫, 불만을 제기하거나 책임져야 할 일이 발생하면

　　　　　　　　세상은 휴대 전화 공포증 절찬리 판매 중

계약 종료와 함께 부품이 교체된다. 사용자의 입맛에 맞지 않으면 분위기 쇄신을 위해 물갈이를 감행하지만, 결코 불법은 아니다. 어차피 계약은 1년 단위니까.

산업화 시내엔 노동자들이 모두 똑같은 네모였다면, 오늘날은 각각이 하나의 동그라미 같다. 내게 피해를 주지 않는 한 우호적 관계를 유지하며, 본인이 책임지게 될 일까지만 관여한다. 힘들고 위험한 일은 부품들이 대신하는 것에 익숙하며, 다 같은 인간이라는 사실을 자주 망각한다. 나는 존중받아야 할 인권을 가졌지만, 나 대신 일하는 부품은 부품이다. 하청 업체 직원의 안타까운 사망 소식은 꾸준히 들려오지만, 그들의 처우는 여전히 부품이다.

스스로 인간이길 포기한 괴물이 된 사람들은 누군가의 꿈을 약점 삼아 욕구를 채우기도 한다. 연예인 지망생들은 불공정 계약에도 감지덕지해야 하고 최악의 경우 성범죄 피해를 입기도 하며, 교수에 눈에 들기 위해 대학원생들은 개인 비서나 교수 가족의 종노릇도 참아낸다. 본인이 지불하는 물건 가격에 종업원의 인격까지 포함되어 있다고 착각하거나 내 밑에서 일하는 계약직 직원은 내 한마디에 죽는 시늉도 해야 한다고 헛소리하는 사람도 여전히 많다. 나이는 숫자에 불과할 뿐, 늙은 괴물이거나 괴물 꿈나무들이 늘고 있다. 결국, 본인의 인격도 함께 죽어간다는 사실은 아직 모르는 듯하다.

나와 내 가족의 인생에 걸림돌이 되는 사람들은 부품처럼 갈아치우는 것에 거리낌이 없는 사람들은 본인의 명성에 작은 스크래치

조차 허용하지 않는다. 원인 제공은 자신이 했음에도 불구하고 경찰서에 조사를 받으러 가기도 전에 사람들의 비난이 두려워 극단적인 선택으로 생을 마감하거나 혹시라도 누가 자신을 알아볼까 얼굴을 꽁꽁 싸매고 나타난다. 소중한 내 자녀의 호적에 빨간 줄이라도 긋게 될까 두려워 피해자를 협박하거나 쌍방 과실을 주장하며 2차, 3차 가해도 서슴지 않는다. 자신은 부품처럼 교체되고 싶지 않은 것이다. 인간을 부품 취급하는 것이 좋은 일이 아닌 것을 알고 있는 것이다.

세상은 점점 발전하는데 인권 의식도 함께 발전하고 있는지는 잘 모르겠는 요즘이다. 어려운 상황에서도 열심히 공부하고, 가끔 견디기 힘들어도 끝까지 버티는 이유는 언젠가 인간답게 살기 위한 것일 텐데 그 과정에서 인간다운 모습을 잃어가는 것 같아 씁쓸하다. 비싼 변호사를 고용해 '증거 불충분'으로 '혐의 없음' 판결을 받아내 끝까지 지키고 싶은 그 '인권'을 지키는 일은 어렵지 않다. 남의 인권까지 존중하고 지키기 어렵다면, 자신의 인격이 아주 귀한 것임을 자각하고 소중히 여기는 것이다. 그렇게 고귀하고 기품이 넘치는 나를, 사람들에게 손가락질 받을만한 사람이 되도록 내버려 두지 않는 것이다. 어떤 피부를 가졌든 어떤 일을 하든 사람을 사람으로 여기는 것이다.

인간이 모여 만든 사회에서 인간을 소외시키고 부품 취급하는 것은 부끄러운 모습이다. 미래의 후손들이 읽는 문학작품 속 노동자들은 적어도 사람다운 모습이길 기도한다.

그들의
만능 치트키

치트(cheat)는 '속이다'라는 뜻으로, '치트키'란 컴퓨터 게임에서 제작자들만이 알고 있는 비밀키 또는 속임수를 뜻한다. '만능 치트키'란, 만능열쇠처럼 어디서나 유용한 것을 말한다. 요즘 대세라 불리는 연예인에겐 만능 치트키라는 수식어가 붙는데, 어떤 곳에서든 잘 어우러져 자기 몫을 해내는 것에 대한 칭찬이자 믿음의 표현일 것이다.

대한민국에서 범죄를 저지른 자들에게도 처벌을 피하거나 약하게 만들어 주는, 그들 입장에서는 꽤 고마운 만능 치트키가 존재한다. 술, 나이 그리고 심신미약이 그것이다.

술은 어디서나 참 좋은 핑계가 되어 준다. 술을 마시면 평소보다 판단력이나 순간적인 반사 신경이 현저히 떨어지기 때문에 음주운전을 하면 사고 위험이 커진다는 것은 누구나 알 수 있는 사실이다. 그래서 음주운전을 하면 강력히 처벌을 해야 할 것 같은데 처벌이

상당이 유하다. 심지어 초범이고 반성의 뜻을 보이면 훈계로 끝나기도 한다. 음주운전 사고 피해자들은 가족과 일상을 잃었어도 술은 가해자들의 방패가 되어준다.

술에 취해 사람을 치고, 범죄를 저지르고도 술을 탓한다. 심지어 술을 마시고 일어난 범죄는 처벌도 약하다. 누가 강제로 주입한 것도 아니고, 본인들이 좋아서 돈까지 주고 마신 술이 왜 방패가 되는지 늘 의문이었다. '사람은 괜찮은데, 술이 원수'라 거나 '술이 문제'라는 말도. 술이 아니라 술에 취해 본성이 드러나는 게 문제 같은데, 그렇게 술을 탓하면서도 사람들은 여전히 술을 잃지 못한다.

요즘 '형사 미성년자'를 규정한 형법 9조의 '촉법소년(觸法少年: 10세 이상 만 14세 미만의 형사 미성년자로서 형벌을 받을 범법행위를 한 사람)'에 대한 부정적 여론이 들끓고 있다. 만 14세 미만의 미성년자는 형벌이 아닌 보호 처분을 받기 때문이다. 촉법소년뿐만 아니라 소년법에서 보호하는 나이 제한을 이제는 없애야 한다는 주장이 제기되기도 한다. 미성년자는 성인들이 보호해야 할 존재이자 그 인권을 존중받아야 할 국민이지만, 미성년자에게 피해를 입은 성인 혹은 미성년자도 똑같이 보호받고 존중받아야 할 국민이다.

우리 사회도 처벌 규정에서만큼은 선진국의 긍정적인 사례를 검토하고, 부분적으로 수용하자는 목소리에 귀를 기울일 때가 왔다. 보통의 사람들은 한 번의 실수(범죄가 실수는 아니지만)로 큰 처벌을 받는 것이 두려워서라도 남을 해하지 않는다. 가해자의 고통과

세상은 휴대 전화 공포증 절찬리 판매 중

피해자의 고통은 동일 선상에 놓고 논의될 문제가 아니다. 누군가의 미래를 걱정하고 싶다면, 법도 지켜주지 못한 피해자들을 먼저 걱정해 주는 것이 더 먼저다.

'어린 나이의 철없는 실수'리며 '앞날이 창창한 젊은이의 미래'만 안타까워하는 사람들의 눈에 그 젊은이들의 손에 다치거나 죽어가는 피해자들의 고통은 보이지 않는지 묻고 싶다. 그들 중에도 분명히 앞날이 창창한, 선량한 젊은이들도 있을 텐데.

심신 미약(心神微弱)이란, 형법상의 개념으로 시비를 변별하고 또 그 변별에 의해 행동하는 능력이 상당히 감퇴되어 있는 상태를 말한다. 형법 10조 2항에서 '심신 미약자는 한정책임능력자로서 그 형을 감경할 수 있다'고 규정하고 있어, 뉴스 사회면에 나오는 사람들은 대부분 처벌을 받기 전에 심신 미약을 주장한다. 신경 질환이나 알코올 중독 등의 사유도 인정되기 때문에 우울증, 공황 장애 등을 내세우며 선처를 호소하면 처벌이 많이 약해진다.

농담으로도 하면 안 될 이야기지만, 미성년자가 우울증이나 공황 장애로 고통받다가 술을 마시고 저지른 범죄라며 선처를 호소한다면 정말 암담하다. 실제로 정신질환을 앓고 있다면 안타까운 일이지만, 그렇다고 해서 그들의 죄가 피해자의 의사와 무관하게 정당화되어서는 안 되는 일 아닐까.

사람들은 흉악범죄나 사회적 이슈가 되는 큰 사건의 처벌에 관심을 갖고 지켜본다. 가끔 비영리단체에서 피해자들의 권리 보호를

아무도 괜찮냐고 묻지 않았다

위해 발 벗고 나서기도 하고, 국민 청원을 적극 이용하는 사례도 늘고 있다. 이렇게 되면 국민의 정서도 무시할 수 없기에 여론을 의식한 재판부에서는 판결에 부담을 느낄 수밖에 없다. 물론 근본적인 문제는 판사 개인이 아니라 법률적 판단의 근거가 되는 규정상의 문제를 바로잡아야겠지만.

결국, 개인이 할 수 있는 일은 지켜보는 것이다. 남의 일이지만 언젠가 우리의 일이 될 수도 있는 그 일들이 제대로 해결될 때까지 관심을 가지고 끝까지 지켜보는 것이다. 여론이 무서워서 함부로 할 수 없도록. 전관예우도 잘나가는 집안도 법을 무시하지 못하도록. 그들의 만능 치트키가 기를 펴지 못하도록. 건전한 사고방식을 가진 다수의 국민이 올바른 판결 그리고 힘들어도 살만한 대한민국의 만능 치트키가 되어주는 것이다.

영원히 고통받는
방총

조(趙)나라에 인질로 가게 된 방총(龐蔥)이 염려를 담아 혜(惠)왕에게 말한다. "처음엔 호랑이가 나타났다는 말을 믿지 않겠지만, 여러 사람이 차례로 와서 호랑이가 나타났다고 하면 왕께서는 믿게 될 것입니다. 바라옵건대 왕께서는 부디 굽어살펴주십시오." 방총이 떠난 뒤, 정말로 그를 모함하는 사람이 하나둘 나타나기 시작했고 왕은 그 말을 믿게 되었다. 결국 그는 자신이 염려하던 대로, 임금을 만날 수 없었다고 한다.

≪戰國策(전국책)≫ 위지(魏志)에 나오는 '삼인성호(三人成虎: 세 사람이 입을 모으면 호랑이도 만들어 낼 수 있다)'는 악의적으로 조작된 근거 없는 말이라도 여러 사람이 입을 모으면 속아 넘어갈 수 있음을 시사한다.

세월이 흘렀어도 방총은 여전히 고통받고 있다. '지라시(선전을 위해 만든 종이쪽지)'에 담긴 자극적인 가십거리들이 이제는 인터넷이나 TV에서도 당당하게 흘러나온다. 사람들의 시선을 끌기

아무도 괜찮냐고 묻지 않았다

위한 것이기에 사실 확인보다는 과장이나 흥미 유발에 치중한다.

스마트 시대의 정보 전달력은 하루 만에 세계로 뻗어 나가 지라시에 언급된 당사자를 창살 없는 감옥에 가둔다. 그것이 사실인지는 중요하지 않으며, 당사자를 궁지에 몰아넣고도 끝나지 않는다. 이미지 관리가 중요한 연예인들은 본인의 잘못이 아닌 경우에도 큰돈을 뜯기며 덮거나 사과부터 한다. 거짓 지라시로 고통받다 삶을 마감한 연예인들이 적지 않지만, 여전히 지라시는 생성되고 있고 이를 만들고 유포한 사람들이 받는 처벌은 미미하다 못해 흐릿한 수준이다.

방총이 현대인이라면 어땠을까?

대한민국 형법 제87조를 근거로 '국토를 참절하거나 국헌을 문란할 목적으로 폭동한 자'로 간주하여 내란죄 혐의를 받거나, 살인음모죄 혐의도 추가되었을지 모른다. 말이라는 것은 증거가 남기 힘든 일이니 '하지 않은 말'을 하지 않았다고 증명하기란 불가능에 가까울 테고, 그렇다면 이를 증명해 줄 증인이 있어야 하는데 방총을 제거하고 싶은 사람들 틈에서 증인으로 나서줄 사람은 있을 것 같지 않다.

반면 그를 고발한 사람은 세 명이 넘을 테니 서로가 서로의 증인이 되어 줄 것이고, 대통령도 자신을 음해하려 한다는 말을 들은 후 이를 '살해 협박'으로 받아들였다면 방총의 죄는 추가된다. 국선 변호사가 영혼까지 끌어모아 변호한다 해도 방총은 법정에 서거나 감옥신세를 면치 못할 것이다. 지라시에 실리기라도 한다면

SNS는 접어야 할 테고.

방총이 미성년인 연예인이라 유언비어를 퍼뜨린 이들을 처벌하고 싶다면 어떨까?

대한민국 형법 제307조는 명예훼손에 대해 '공연히 사실이나 허위사실을 적시하여 사람의 명예를 훼손함으로써 성립하는 범죄'라 규정한다. 사실을 적시하여 타인의 명예를 훼손한 자는 2년 이하의 징역이나 금고 또는 500만 원 이하의 벌금, 허위 사실을 적시하여 타인의 명예를 훼손한 자는 5년 이하의 징역, 10년 이하의 자격 정지 또는 1,000만 원 이하의 벌금에 처하며 허위 사실 적시에 의한 명예훼손을 가중 처벌한다. 자기의 인격적 가치에 대한 명예감정을 침해하는 행위는 별도로 모욕죄가 성립한다.

단, 방총을 괴롭힌 가해자들 또한 미성년자라면 이야기는 달라진다. 촉법소년은 형사책임능력이 없어 형벌이 아닌 보호 처분을 받게 된다. 가해자들이 학생이고 방총과 같은 학교라면 '학교폭력 예방 및 대책에 관한 법률'에 의거한 처벌을 받고, 2020년부터는 교육지원청의 학교폭력대책심의위원회에서 업무를 처리한다. 피해 정도에 따라 서면 사과를 받거나 봉사활동 등에 처하고 심한 경우 강제전학 또는 퇴학처분을 받는다. 방총이 이 사실을 신고하지 않거나 쌍방 과실 혹은 가해자들과 화해할 경우 처벌은 없다.

방총이 연예인이 아니고, 그의 명예가 인정되지 않는다면 명예훼손 자체가 성립되지 않을 수도 있다. 전국시대 사람이든 대한민국 사람이든 이쯤 되면 방총은 영원히 고통받아야 할 운명으로 태어난 사람 같기도 하다.

친구와 그런 이야기를 한 적이 있다. 어차피 그럴 능력도 없지만, 나는 절대 판사가 되면 안 되는 그릇이라고. 헌법이고 판례고 다 치우고, 고조선 8조법을 들먹이며 '이에는 이, 눈에는 눈'을 외쳤을 거라고. 오늘날 우리가 당연하게 누리고 있는 '민주주의 대한민국'을 지키기 위해 청춘과 목숨을 바친 분들께는 면목없지만, 남에게 피해를 준 사람들에 한해 국가 차원에서 강력한 제재를 가하면 좋겠다. 범죄자의 인권보다 공권력이 강했으면 좋겠다. 신체나 생명이 아닌 타인의 명예와 인격을 다치게 하는 범죄나 신종 범죄일지라도 처벌할 수 있도록 규정을 뛰어넘는 특별 규정이 생기면 좋겠다.

범죄자의 생명도 소중한 것도 알겠고, 반성 후 새사람이 되어 사회에 적응하기 위해 진심으로 노력하는 분들에게 다시 사회구성원으로 섞일 수 있는 기회를 주는 것이 인도적인 방법이라는 말에도 동의한다. 그러나 남의 인생을 꺾고 짓밟은 사람들이 처벌마저 약하게 받는다면 대체 누가 법을 지킬까. 영원히 고통받는 방총의 억울함은 누가 풀어 줄 수 있을까.

차라리
나무가되고싶은
1 새벽엔

아픈 건
당신 잘못이 아니다

TV에 밝고 선한 얼굴로 웃으며 연신 사과하는 남자가 등장했다. 자기도 모르게 '악!' 소리를 지르는 틱장애로 평생을 고통받으며 살아온, 나와 동갑인 남자. 코미디언 이수근은 그가 살아온 인생 이야기를 들으며 뜨거운 눈물을 참지 못했고, 나는 활짝 웃으며 등장할 때부터 울었다. 가끔 인생은 누군가에게 참 지독히도 잔인하다.

이수근은 그의 웃음이 오랜 아픔을 견디고 견디다 결국 해탈한 이의 것이라 했다. 정신과 상담 첫날, 주치의가 내게 했던 말이다.

엄마가 병원에 입원해 있는 동안, 거의 병적으로 찾아 헤매던 것이 있었다. 혈액이나 면역력, 패혈증, 섬망 증세에 대한 자료. 그리고 경험자나 가족들의 이야기. 제발 단 한 명이라도 좋으니 긍정적인 후기를 듣고 싶었다. 정신과 상담도 마찬가지였다. 병원을 찾아가기 전까지 정말 최선을 다해 나와 비슷한 사례를 찾았다. 혼자 고군분투하며 이겨 낸 이야기까지는 바라지도 않았다. 이제는 괜잖아졌다는 한마디, 언젠가 고통의 터널도 결국엔 끝이 있더라는 그 말 한마디만 원했다.

나와 비슷한 사례를 찾는 건 불가능했다. 책이고 인터넷이고 샅샅이 훑었지만, 당시엔 패혈증 자체도 익숙하지 않았고, 더구나 사망률이 높기 때문에 당사자의 후기는 끝내 찾지 못했다. 내가 듣고 싶었던 건, 인생의 고비를 견뎌낸 사람들의 이야기 그리고 고비를 맞이한 이의 가족이 알아야 할 것들이었다. 어딘가에 비슷한 일을 겪는 사람이 또 있다고, 다 죽는 건 아니고, 누군가는 이제 그 시간이 끝났다고 말해 준다면 견딜 수 있을 것 같았다.

그나마 찾은 후기는 절망 그 자체였다. 아픈 사람이 얼마나 이기적으로 변하는지, 주변 사람은 얼마나 힘든지, 패혈증이 사람을 얼마나 허망하게 죽음에 이르게 하는지에 대한 담담한 고백들 그리고 장례 절차뿐이었다. 그들 입장에선 홍보일 뿐인데, 상황이 상황인지라 상조 회사의 글은 몹시 불쾌했다.

이번 책을 쓰면서 여러 번 방향을 틀고, 뒤집어엎은 이유도 자꾸만 그때의 내가 생각나서였다. 처음엔 가볍게 읽을 수 있는 잔잔한 이야기나 유쾌한 글을 쓰고 싶었지만, 누구라도 좋으니 '고통의 시간도 언젠가 끝은 나더라'고 한마디만 해 주길 바라던 내 모습이 마음에 걸렸다. 그리고 자꾸만 정신과 상담이나 교통사고, 병원 생활에 대해 묻는 오랜 지인들을 보며 마음을 굳혔다.

그때의 나처럼 갑자기 퍼붓는 장맛비에 놀라, 비슷한 일을 겪은 사람들의 이야기를 애타게 찾고 있을 사람에게 내가 그토록 듣고 싶었던 말을 해 주자고. 해피엔딩 말고, 뻔한 이야기 말고, 진짜 겪은 사람의 경험을 있는 그대로 들려주자고.

엄마와 나 그리고 우리 가족에게 고통스러웠던 일을 함부로 쓰기가 조심스러워 엄마에게 허락을 구했다. 그동안 몰랐을, 당신의 이야기니까. 힘든 일을 겪기 전의 나보다도 더 긍정적이고 유쾌한 엄마는 '그건 나한테도 영광 아니냐'며 걱정했던 내 마음이 무안하게 흔쾌히 허락했다.

생각해 보면 힘들었던 일들이 꼭 끔찍하고 나쁘기만 했던 것은 아니다. 덕분에 가족애는 더욱 끈끈해졌고, 인생에서 가장 소중한 것들을 깨달았으며 개인적으로는 나 자신을 제대로 마주하게 되는 계기가 되었다. 세상을 바라보는 마음가짐도 달라졌고. 또 그때의 나와 비슷한 일을 겪고 있을 사람들에게 적어도 하나의 긍정적인 극복 사례를 들려줄 수 있게 되었으니, 나에게도 영광이라고 생각한다.

내가 감히 말하고 싶은 건, 아픈 건 결코 당신의 잘못이 아니며, 당신도 당신의 소중한 누군가도 나을 수 있다는 것이다. 그리고 이번 장마가 지나가고 나면, 그때의 나와 지금의 당신처럼 힘겨운 시간을 극복하고 이제는 괜찮아진 누군가의 이야기를 찾아 헤맬 또 다른 우리에게 희망적인 후기를 들려주길 바란다.

아무도 괜찮냐고 묻지 않았다

환자 보호자
가이드

    온 가족이 갑작스러운 소나기에 휘청거리던 시절, 그때 내가 찾아 헤매던 내용을 정리한 글이다. 사실은 아무도 겪지 않길 바라지만, 이미 겪고 있을 사람들에게 작은 도움이라도 되길 바란다.

#중환자실 환자의 보호자가 된다는 것

    보호자는 긴 마라톤을 준비해야 한다. 슬프지만 가벼운 증상은 아니기에 상태가 조금 더 나빠지거나 살짝 호전될 때마다 일희일비하면 금방 지친다. 병문안 순서나 수를 조절할 수 있다면 더 좋다. 시간과 인원이 한정적이고, 혹시나 그중 누가 돌아가시거나 긴급 시술을 하게 되면 면회를 못 할 때도 있다.

    중환자실은 생명이 위독한 환자들이 모여 있기 때문에 하루에 두 번, 30분씩 열린다. 별도의 대기실이 없으므로 환자가 위급하면 그 앞에서 대기하고, 그렇지 않으면 면회 시간에 맞춰서 가는 것이 좋다. 중환자실에서는 대표 보호자의 전화번호를 묻는다. 의식이 없는 와상(臥床)환자들이라 필요한 것도 많고, 긴급 상황 시 전화로 알려준다.

처음에 간호사가 중환자실에서 필요한 물품을 직접 사 오라고 할 것이다. 우리는 병원 내 편의점에서 구입했는데, 선택의 폭도 좁고, 비싸다. 병원 부근에 의료기기 전문점이 있다. 종류도 다양하고, 경제적이다. 그분들도 전문가라 병명만 말해도 알아서 챙겨 주신다. 성인용 기저귀도 사이즈가 다양하다. 환자의 체형보다 조금 큰 것을 추천한다. 하루 종일 수액을 맞는 환자들이라 소변량이 생각보다 많고, 와상 환자들에겐 맵시보다 기능이 더 중요하다. 물티슈와 휴지는 인터넷에서 대량 주문해서 아예 넉넉히 드리면 간호사도 고마워했다.

*필요한 것: 성인용 기저귀, 소변통, 수건, 물티슈, 휴지, 빨대 달린 컵, 욕창 방지를 위해 두툼한 도넛 방석

#섬망 증상엔 의연하게

환자들은 24시간 밝은 조명 아래 다량의 약물을 투여하기 때문에, 깨어나도 환각이나 환청을 듣는 섬망(譫妄: 헛소리 섬, 망령될 망) 증상이 나타나기도 한다. 환자는 완전히 다른 사람이 된다. 일시적인 증상이지만 보호자도 몰라보고, 난폭하게 굴면 처음 겪는 보호자는 당황할 수밖에 없다. 나도 처음엔 울고불고 난리를 쳤는데, 나중에 물으니 엄마는 아무것도 기억하지 못했다.

환자가 난폭하게 굴면 간호사도 상당히 힘들다. 약 기운이기 때문에 평소와 다르게 괴력이 나온다. 주변 사람이나 자신을 해할 수

있으므로 위험한 물건은 멀리 치우고, 환자와 친밀한 사람이 곁에서 차분하게 안심시켜 주며 사실을 이야기해 주면 좋다. 나는 손을 잡고 '엄마는 지금 중환자실에서 깨어났고, 나으려면 이 기계들이 모두 필요하니까 답답해도 조금만 참자'고 이야기해 줬다.

너무 놀라지 말고, 의연하게 대처하자. 어쨌든 깨어났다는 거니까.

#일반 병동 보호자

천만다행이다. 일반 병동으로 옮기거나 배정되는 것은 환자의 상태가 좋아진 경우가 대부분이니까. 거동이 불편한 환자는 위에서 말한 것 외에도 소변용 패드를 추가로 사서 매트리스에 깔아 두면 좋다. 기저귀를 해도 소변이 샐 수 있고, 시트는 하루에 한 장 받을 수 있다. 의료 용품점에서 파는 것이 저렴하고 품질도 좋다.

중환자실에선 간호사들이 해 주지만, 일반 병동에서는 기저귀를 포함한 모든 것이 보호자 몫이다. 간병인 없이 24시간 돌볼 예정이라면 1박 2일 여행(+이불)을 생각하며 짐을 챙기면 된다. 잠귀가 밝거나 주변 사람들과 불필요한 대화를 피하고 싶다면 이어폰, 귀마개, 책을 추천한다. 6인실의 경우 보호자까지 포함하면 대가족 수준이다.

보호자도 병원 밥을 신청할 수 있지만, 환자들의 식사(건강한 맛)와 같다. 개인용 소형 냉장고에 밑반찬을 보관해도 된다. '김 추천.'

#장기 입원

사람이 오래 아프면 마음도 병든다. 눈물도 많아지고, 이기적으로 변한다. 우리가 근무하는 동안은 혼자 있어야 했던 엄마도, 병원에 누워 두 번의 생일을 보낸 나도 툭하면 울었다. 딱히 할 일도 없고, 주변에 모두 아픈 사람들뿐이니 없던 우울증도 생기는 지경이다.

그렇다고 환자의 투정을 모두 받아 줄 필요는 없다. 보호자와 환자를 둘 다 해 보니, 정말 힘든 건 보호자일 때였다. 아픈 사람은 누워 있지만, 보호자는 불편하고 작은 의자에서 아픈 사람만 보고 있어야 한다. 아무리 가족이라도 울컥하는 순간이 온다. 환자가 혼자 있어도 될 만큼 호전되면 가족들도 순번을 정하고, 나머지는 쉬어야 한다.

환자가 너무 서운해하면, 차분하게 현실을 알려 주는 것도 좋다. 아픈 건 안타깝지만, 가족이 전부 병원에 붙어 있을 수도 없고, 앞으로의 삶도 살아가려면 공부나 일도 해야 한다.

#기적은 늘 우리 곁에 있다

우리는 매번 기적이라는 말을 들었다. 엄마가 깨어났을 때와 내 첫 사고 때 의사가 직접 말했다. 그리고 두 번째 사고는 모든 게 기적이었다. 차라리 즉사하게 해달라고 기도하던 순간에 살아났고, 전신 골절에 일상생활이 힘들 거란 말을 들었지만 후유증 하나 없이 회복했다. 숨만 쉬어도 고통스러웠지만 그래도 끝은 있었고, 우

아무도 괜찮냐고 묻지 않았다

리는 둘 다 건강하다.

지금 환자를 돌보고 있는 보호자라면 환자의 손을 꼬옥 잡고, 지금 아픈 건 당신의 잘못이 아니라고 말해 주길 부탁하고 싶다. 그리고 환자를 돌보고 있는 당신도 너무나 수고가 많았다고 안아 주고 싶다. 혹시라도 가족이 아픈 게 당신 탓이라고 생각하지 않길 바란다.

곧 모든 것이 회복되기를 진심으로 기도하지만, 만에 하나로 이별의 순간이 오더라도 세상을 떠나는 사람은 남겨질 사람을 걱정하지, 서운했던 일들을 떠올리진 않는다. 내가 두 번이나 겪은 바에 의하면 그렇다.

아픈 건 힘들고 불편한 일이지만, 죄를 지어 받는 벌이 아니다. 길을 걷다 예고 없이 쏟아지는 소나기를 맞았다고 해서 죄인은 아닌 것처럼. 가끔은 누구의 탓도 아닌 시련을 만나게 된다. 그리고 반드시 그 끝은 온다.

세상에는 곳곳에 기적이 존재한다. 그것은 가끔 우리 곁에 머물며, 당신이 알아차려 주기를 기다리고 있을지 모른다.

이유를 알 수 없는
밤들

내 발로 정신과 의사를 찾아가기 전까지 머릿속은 물음표로 가득했다. 처음에는 왜 자꾸 나에게만 힘든 일이 생기는지, 그 다음엔 왜 나만 이렇게 오래도록 힘든지, 시간이 지나면서는 아침에 눈을 떠 마주하는 모든 것이 다 의문이었다. 왜. 대체 왜. 왜 자꾸 나한테만.

그렇게 흘려보낸 어제와 아무렇게나 뒤엉킨 오늘이 반복될수록 이유를 알 수 없는 두려움이 자라기 시작했다. 절대 무너지지 않을 것 같던 거대한 댐을 무너뜨리는 것은 거센 바람도, 강력한 굴착기도 아니다. 아주 작은, 그래서 눈에 보이지 않는 균열이다. 햇빛 쨍쨍한 날 기분 좋게 걷고 있는데, 갑자기 빗방울들이 들이친다. 이 정도는 괜찮을 것 같아 대충 머리만 가리고 걸어가다 정신을 차려보니, 이미 물속이었다.

일정 기간 이상 불면증에 시달리거나 본인 감정을 어쩌지 못해 힘

아무도 괜찮냐고 묻지 않았다

들어하는 사람에게 딱 한 번이라도 정신과 상담을 받아보라고 권하는 이유는 첫 상담에 있다. 아무리 유능한 의사라도 처음 보는 나에 대해 아는 것이 전혀 없으니, 내 상황을 스스로 정리해서 이야기해야 한다. 그러려면 그간의 일들을 돌아봐야만 하고, 나처럼 힘들었던 기억을 떠올리는 것조차 끔찍해 회피하던 사람들도 한 번은 자신의 상황에 직면하게 된다.

전문의 입장에선 당연한 일이겠지만, 내담자가 눈물 콧물 흘려가며 엉망진창으로 토해 내는 뒤섞인 감정들을 그저 무표정한 얼굴로 들으며, 전문 용어로 빼곡히 받아 적는다.

슬프게도, 내 말을 끊지 않고 그냥 들어 주는 사람이 실로 오랜만이었다. 내 말은 들을 생각도 없고, 그저 자기 말만 쏟아 내던 사람들로부터 벗어났다는 생각에 그제야 숨이 쉬어졌다. 그것만으로도 위로가 되었다.

첫 진료는 특별한 것 없이 순조롭게 끝났다. 돌덩이처럼 꽉 막혀 좀처럼 내뱉을 수 없던 숨을 토해 냈고, 의사는 가끔 내용을 되묻는 것 외엔 나를 평가하거나 훈계하지 않았다. 그리고 내게 물었다. 어떻게 도와주면 좋겠느냐고. 그것까진 생각도 못 했던 터라 당황했지만, 병원에는 대답을 재촉하는 사람이 없었다. 잠시 침묵이 흐르고, 감격스럽게도, 정말 오랜만에 내일이라는 것에 대해 생각했다.

의사 앞에서는 매번 나조차도 모르던 무의식까지 꺼내 놓았다. 이유만 찾아 헤매느라 물음표로 가득했던 머릿속을 한걸음 떨어져서 바라보며, 내가 원하는 것을 고민해 봤다. 그리고 대답했다.

차라리 나무가 되고 싶은 새벽엔

살고 싶다고.

의사는 가장 시급한 문제부터 해결하자고 했고, 나도 그게 좋을 것 같다고 했다. 순간 멍해졌다. 언젠가부터 깊이 생각하는 것이 버거워 어떤 생각 하나에 꽂히면 그것만 몇 날 며칠을 생각하곤 했다. 사실 잠이 안 오고 괴로운 것만 알았지, 내가 그렇게까지 힘들다고 생각하지 않았다. 갑자기 우선순위를 매기려니 아무 생각도 나지 않는다고 했더니, 의사는 의외의 말을 했다.

내가 내 마음을 인정해 주고 들여다보는 것부터 시작해야 한다고. 외부의 공격으로부터 나를 지키기 위해 무의식중에 발동한 방어 기제를 스스로 해제해야 한다고. 심리학 서적은 꽤 읽었지만, 정작 나에 대해서는 문외한이었다. 나에 대한 관심이 없었던 건지, 알고 싶지 않아 눈을 감은 건지. 다른 건 바로 바로 대답하면서, 내 마음에 대해서는 대답하기가 어려웠다.

우선순위는 모르겠지만, 다른 사람은 겪지 않는 것들을 줄줄 읊었다. 불면증과 가슴 두근거림, 가끔 머리, 손에 맥박이 강하게 느껴지는 것, 휴대 전화에 대한 두려움, 가끔 곧 기절할 것 같은 느낌과 뚝뚝 떨어지는 땀, 언젠가부터 강박적으로 하고 있는 안전에 관한 염려들.

생각보다 약은 단출했다. 나는 우선순위를 모르겠지만, 의사는 아는 것 같아 마음이 놓였다. 약은 하루에 세 번 먹기로 했다. 아침, 저녁에는 불안감, 예민하게 반응하는 감정을 다스려 주는 약 그리고 자기 전엔 수면제. 의사는 부작용과 복용법을 설명하고, 치료 기간 동안 임의로 판단하거나 행동하는 것은 위험하다고 했다.

진료 후 500 문항이 넘는 책자를 받았다. 정확히는 인성검사. 집에서 편안하게 체크해서 다음날 병원에 제출하면 된다고 했다.

정신과 진료를 시작한다고 오랫동안 괴롭던 마음이 눈 녹듯 사라지는 드라마 같은 일은 일어나지 않는다. 나도 그랬다. 그러나 한 가지 눈에 띄게 달라진 점이 있긴 했다. 잠을 잘 수 있는 것. 내게 가장 심각한 우선순위는 잠이라는 걸 의사는 알았고, 나는 몰랐다. 약의 힘을 빌리긴 했지만, 잠이라도 제대로 자기 시작하니까 좀 살 것 같았다.

고통도, 지독한 장마도 여전히 그대로였지만, 그래도 첫걸음은 내디뎠으니 계속 가 보기로 했다.

팔 할이
감정 쓰레기통이었다

감정 쓰레기통이라는 단어를 처음 들었을 때, 정말이지 소름 그 자체였다. 어쩜 이렇게 적절한 이름을 붙였을까. 그들은 본인 속에 담아 두기 싫은 감정 폐기물들을 자신이 지정한 쓰레기통에 버린다. 그리고 홀가분해진다. 감정 폐기물이 모두 부정적인 감정은 아니지만, 기쁨이든 슬픔이든, 그것을 계속 들어 줘야 하는 입장에서는 그냥 남의 감정 쓰레기일 뿐이다.

투척하는 방식도 참 다양하다. 고민 상담, 사과, 축하, 안부, 칭찬, 질문 등 다채로운 도입부로 시작하지만 결국엔 본인 하소연으로 넘어간다. 그나마 하소연은 양반이다. 꼭 누군가를 욕하거나 저주하고, 나중엔 스스로를 비하하기도 한다. 답이 나오지 않는 우중충한 감정들을 내게 떠넘기고, 해결할 의지도 없는 무거운 것들을 쏟아 낸다. 그마저도 성에 안 차면 뜬금없이 죽고 싶다며 폭탄을 던지거나 더 이상 적극적으로 들어 주지 못하고 싫은 티를 내는 나를 원망한다.

그들은 단체로 강의라도 들었는지, 똑같은 말을 했다. 본인 때문에 힘든 건 알겠지만, 내게 많은 것을 바라는 게 아니라고. 그냥 들어 주기만 하면 된다고. 본인도 미안하게 생각하고 있고 너무 괴로운데, 나까지 등을 돌리면 본인은 어떻게 하냐고. 죽고 싶다고.

의사는 상담할 때마다 '현재 느끼는 감정'을 물었다. 의사 앞에만 서면 이상하리만치 솔직해지는 내가 낯설었지만, 그만큼 신뢰했다. 처음 한두 달은 꾸역꾸역 눌러 놓았던 감정들을 토해 내느라 의사의 말에 의문을 가질 새도 없었다. 그것들을 좀 비우고 나니 가끔은 생각이라는 것도 하기 시작했고, 의사의 말에 토를 달기도 했다. 그날도 똑같이 내 감정을 묻는 의사에게 나도 모르게 속마음이 튀어나왔다.

"지금 내가 당장 죽겠는데, 왜 이런 걸 묻는지 솔직히 잘 모르겠어요."

의사는 아주 잘했다며, 이게 내 진짜 감정이라고 했다. 이때부터 진짜 치료의 시작이었다.

의사는 적어도 상담할 때만큼은 그때그때 속에서 드는 생각을 미리 차단하지 말라고 했다. 나의 언어 습관 중 '이렇게 말해도 되는지 모르겠지만'과 '내가 이러면 안 되지만' 하는 표현을 지적하며, 내가 보기엔 이상하지 않냐고 물었다.

가만히 생각하니 정말 이상했다. 어쩐지 비굴하고 방어적인 느낌마저 드는 이런 표현을 언제부터 쓰게 됐을까. 의사는 내가 의식적으로 스스로를 억압하고 있다고 지적했다. 생각이든 말이든, 그건 내 자유 의지로 결정할 일이고 심지어 이곳엔 우리밖에 없는데, 대체 왜 나만 생각조차도 마음대로 하면 안 되냐고. 다른 사람들은 내게 할 말, 못 할 말, 말 같지도 않은 말까지 퍼부었는데, 나는 뭘 그렇게 안 되는 게 많냐고. 내 말을 듣다 보면 마치 내가 엄청 큰 잘못을 저질렀고, 나를 힘들게 했던 사람들을 오히려 변호하고 있는 것 같다고도 했다.

시작부터 이미 내가 잘못하고 있다는 듯한 저 이상한 말투를 언제부터 사용했을까. 사회생활. 괜히 말 한마디 잘못해 책잡히면 안 될 분위기. 다짜고짜 찾아와 질러 놓고, 본인 내키는 대로 사과하던 사람. 시도 때도 없이 걸려 오는 전화. 협박인지 하소연인지 모를 화풀이 그리고 폭언. 사과는 그 사람이 하고 있는데 수치스러운 건 누가 봐도 나인 상황. 너도 잘못이 아예 없진 않을 거라던 사람들. 나를 위한답시고 '더 크게 만들지 말고, 대충 넘어가라'던 사람들.
멘탈 하나는 갑이라는 말을 듣던 내가 내 발로 정신과를 찾게 한 것은 팔 할이 감정 쓰레기통이었다. 내가 저지른 일도 아닌데, 책임은 내가 져야 하는 상황에서 입도 다물어야 했다. 무방비 상태에 여기저기서 날아드는 화살들을 견뎌낼 힘이 애초에 없었다. 각자 애처롭게 전하는 날카로운 사연들을 모두 담기엔 역부족이었다. 나는 쓰레기통이 아니라 사람이니까.
인생이라는 게 참 씁쓸한 게, 나는 하나의 인간이지만, 나를 부르는 이름마다 각각의 다른 사람이 되어야 할 때가 있다. 그리고 꽤 소중했던 내 이름에 요구되던 역할은 입은 닫고, 일단 들어주는 모두의 감정 쓰레기통이었다. 막아도 보고, 소리도 질렀지만 혼잣말 수준이었다. 결국 남의 감정 쓰레기들로 꽉 찬 그 이름은 아무에게도 피해를 주지 않으면서, 이 고통을 끝내는 방법을 찾는 데 실패했다.

내 마음속에서 남의 감정들이 주인 행세를 하면서부터 내가 내 생각을 말하면서도 누군가의 허락을 구하는 것 같은 요상한 화법을 쓰고 있었다.

'감정 쓰레기통'이라는 개념은 일반인이 감당할 수 있는 영역이 아니다. 남의 쓰레기에 지친 사람 말고, 남에게 감정을 던져대는 그 사람이 전문가를 찾아가야 한다. 각자의 입장을 전달하고 감정을 공유하는 것도 중요하지만, 아무리 남에게 퍼부어도 해결되지 않는 응어리는 각자의 몫이다. 그걸 해결해 달라고 매달릴 사람은 정신과 의사와 전문 상담사다.

지속적인 감정 쓰레기통 노릇에 지쳤다면, 진부한 이야기지만, 한 번은 용기를 내야 한다. 거리를 두거나 도망치거나. 내가 지켜야 하는 것은 내가 들어 주지 않는다고 서운해할 누군가가 아니라 집을 빼앗기고 밀려난 내 진짜 감정이다.

저온 화상

   동파 사고가 끊이지 않던 겨울, 영하 20도를 웃도는 맹추위에 보일러를 켜고도 이불 속에 대용량 핫팩을 넣고 잠들었다. 여행 갈 생각에 정신이 팔려 왼쪽 발등에 자라난 물집을 저녁에야 발견했다. 저온 화상이었다. 부랴부랴 응급처치하고, 화상 연고와 밴드를 넉넉히 챙겨 비행기에 올랐다.

   피할 수 없으면 즐기자는 마음으로 물집에 '통통이'라고 이름까지 붙여 주고 극진히 모셨지만, 여행 내내 물집의 노예였다. 점점 부풀어 오른 통통이는 결국 셋째 날 밤에 처참히 터져 버렸고, 귀국하고도 한 달 이상 애를 먹었다. 몇 년이 지난 지금도 흉터가 남아 있다.

   저온 화상이 무서운 건, 내가 상처를 입는 동안 자각하지 못한다는 것이다. 차라리 눈앞에 불길이 일고 있다면 피할 수라도 있는데, 미지근한 공격은 당시에 알아차리지 못해 적절한 반응을 할 수도 없고, 타격의 스펙트럼이 넓다. 오랜 시간 아무도 모르게 나를 파괴하고, 상처만을 남긴다. 믿었던 사람에게 저온 화상을 입은 적이 있다. 서서히 달아올라 100도가 넘도록 자각하지 못하다 결국 큰 화상을 남겼다. 시간이 지날수록 원망과 분노의 화살이 마지막에

                                      아무도 괜찮냐고 묻지 않았다

향하는 곳은 그 사람이 아니라 나였다.

힘든 가정사를 털어놓으며 가까워진 어린 친구가 있었다. 가슴이 답답하다며 무작정 나를 찾아와 하소연을 늘어놓으면 안쓰러운 마음에 밥도 사주고, 이런저런 심부름 핑계로 자잘한 것들을 챙겨줬다. 지인들은 그 친구와 거리를 두라고 했지만, 나한테 털어놓고 갈 때마다 조금은 편안해진 그 친구를 보는 것이 좋았다. 나이에 비해 속도 깊고, 꽤 괜찮은 친구라 생각했다.

차라리 몰랐으면 아름다웠을 텐데, 뒤통수를 그 친구와 멀어진 후에야 맞게 되었다. 상황은 힘들어도 꽤 괜찮은 친구였는데, 그런 줄 알았는데, 뒤에서 나를 엄청 비웃었다는 이야기를 들었다. 어색한 분위기 속에 진작 말해 주지 그랬냐며, 괜찮다고, 허탈하게 웃고 넘어갔다. 이미 다 지나간 일에 내가 할 수 있는 게 뭐가 있을까. 사람들하고 나누던 시시한 이야기들이 갑자기 너무 시시해서 먼저 나왔다.

집에 오는 내내 은근한 감정들이 솟구쳤다. 사람들은 모르지만, 그 친구와 나만 아는 것들이 있었다. 집안 이야기나 그 친구가 숨기고 싶어 했던 개인적인 사정들. 차마 그걸 밝힐 수 없어 입장이 난처한 적도 있었지만, 그 정도는 흔쾌히 참을 수 있었다. 자기 힘으로 어쩔 수 없는 큰일을 겪고 있는 어린 친구에게 힘을 주고 싶었다.

이미 지나가 버린 과거의 일에 뒤늦게 배신당한 충격은 잔상이 오래간다. 사건도 가해자도 모두 과거에 있는데, 나의 고통은 지금부터 시작이다. 어디에 따져 물을 수도 없이. 그래서인지 화도 나지 않았다. 잊었나 싶으면 아무 때나 불쑥 튀어나와 사람을 비참하게 했지만, 어차피 할 수 있는 건 없었다. 가끔은 나를 배신한 그 친구보다도 늦게 알려준 지인들이 원망스러웠고, 사실 아무것도 모르고 있던 등신이 제일 혐오스러웠다.

한동안 자다가도 벌떡 일어나며 속으로 점점 파고들던 물집은 일에 치여 바쁘게 살면서 잦아드는 듯했다. 그렇게 시간에 속아 조금씩 잊어가던 어느 날, 무슨 낯짝인지 그 친구가 나를 찾아왔다. 잘 지냈냐며 내가 아끼던 예전 그 모습으로 인사하는데, 활짝 웃는 얼굴에 물집이 미친 듯이 부풀기 시작했다. 예전엔 귀엽던 우물쭈물 말하는 모습이 소름 돋게 가증스러웠다. 그리고 수줍게 내민 커피에 결국 물집이 터져 버렸다.

대충 어버버하며 보내고, 화장실에 커피를 쏟아 버렸다. 커피는 죄가 없지만, 고름 맛이 날 것 같아 냄새도 맡기 싫었다. 뒤에서 비웃는 줄도 모르고 열심히 고민을 들어 주던 내가 얼마나 우스웠을까. 다 그렇다 쳐도, 대체 나한테 왜 그랬을까. 그럼 내게 했던 말이 다 거짓말이었을까. 결국 등신처럼 모르고 있던 내가 제일 문제였다. 생각할수록 나만 괴로워진다는 사실이 너무 약 올라 돌아버릴 것 같았다.

의사는 그 친구가 앞에 있다면, 하고 싶은 말이 있는지 물었고, 나는 없다고 했다. 비웃는 줄도 모르고 어떻게든 삶의 무게를 덜어 주고 싶었던 내 진심이 너무 짠했다. 그런 인간에겐 화도 내고 싶지 않았다. 오해든 원망이든 아무것도 풀고 싶지 않았다.

의사가 고개를 끄덕였고, 조금은 후련했다. 굳이 그 일을 떠올리

아무도 괜찮냐고 묻지 않았다

는 것도 구역질 나고, 아직까지도 아물지 못한 물집을 후벼 파기 싫은 나의 입장을 존중받는 것만으로도 위로가 되었다. 사실 배신 감보다도 정말 응원하고 싶은 마음이 컸던 친구라 마음에서 도려 내지도 못하고, 그냥 그대로 몇 년째 품고만 있었다. 그래도 이렇 게 객관적으로 진술하듯 펼치고 보니 엉망으로 뭉개졌던 생각들 이 좀 정리되었다.

그때 나는 그 친구에게 진심을 줬고, 그 친구는 본인의 선택대로 행동한 것뿐이다. 뒤에서 나를 험담한 행동은 분명 잘못이지만, 그 건 그 사람의 인품이고 본인의 선택이었을 뿐, 내 잘못도, 내가 해 결할 수 있는 일도 아니었다. 따져 물을 대상이 없다고 해서 그 대 상이 내가 되는 것은 방향의 오류였다.

아무리 낮은 온도라 해도 일정 온도 이상의 것에 장시간 피부를 노출하면 반드시 화상을 입는다. 저온이든 고온이든, 화상은 다 같 은 화상이고, 세게 찌르든 살살 찌르든, 칼에 찔린 사람은 다 아프 다. 몸에 생긴 상처는 시간이 지나면 아물지만, 마음에 생긴 저온 화상은 언제 아무는 지 알 수가 없다. 잊을 만하면 힘들게 하고, 결 국엔 스스로를 찌르게 만든다.

위험하다고 핫팩을 끊을 수 없듯, 이상한 사람이 많다고 사람을 안 보고 살 수는 없다. 그럼에도 불구하고 정다운 사람들 속에서 나는 사람답게 살아가고 싶다. 저온 화상을 예방하는 방법은 하나 다. 화상을 입지 않도록 이따금 들여다보는 것이다. 내가 다치고 있는지, 혹시 뜨겁진 않은지. 가끔은 나를 둘러싼 관계들을 점검 하는 것이다.

부모님의 사춘기, 갱년기

갱년기(更年期)란, 여성의 생식기능이 소실하는 징후로 나타나는 월경 폐지의 시기로 완경기라고도 한다. 갱년기 증상에는 안면홍조, 발한, 인지 기능 저하, 수면 장애, 우울감 등이 있다. 불쑥 찾아온 노화로 인한 우울감에 남녀 구분은 무의미하며, 현대인의 식생활의 변화와 스트레스 등의 이유로 갱년기의 연령은 점점 낮아지고 있다고 한다.

엄마의 갱년기는 복합적이었다. 사회생활에서 받는 스트레스까지 합세해 규모가 더욱 컸다. 슬프게도 각자 바쁘게 생활하느라 가족 중 누구도 그 고통을 알아차릴 여력이 없었다. 엄마의 하소연이 일 년 넘게 지속되면서 우리는 그 아픔을 이해하고 공감하기보다는 이러다 내가 먼저 미칠 것 같아 엄마와의 대화를 피하기에만 급급했다. 대체 왜 그러는지에 대해서는 생각해 볼 생각조차 하지 못했다.

신체적인 변화와 두려움, 사회생활에서 받은 스트레스, 집에서 외톨이가 된 기분이 뒤섞여 벼랑까지 내몰린 엄마는 끝내 폭발했다. 우리에게 서운하고 허무한 마음을 거칠게 표출했고, 사회 초년생으로서 공부와 아르바이트를 병행하는 것만으로도 고단하던 동

　　　　　　　　　　　아무도 괜찮냐고 묻지 않았다

생도 묵혀 왔던 마음을 쏟아 냈다. 그 다음 화살이 나에게 향했을 때 나는 첫째라 참아 왔던 것까지 폭발했고, 모두가 각자의 삶의 무게들을 아무렇게나 쏟아 냈다.

모든 것을 토해 낸 엄마는 밖으로 나갔고, 우리는 따라가지 않았다. 각자 가장 만만하고 익숙한 곳에서 미안하고도 버거운 마음속 응어리들을 흘려보냈다. 참 길고, 쓰라린 밤이었다. 가족 모두에게. 그렇게 서로에게 생채기만 남긴 엄마의 갱년기는 '너희도 힘들 텐데, 부모가 돼서 이런 모습까지 보여 정말 미안하다' 는 사과로 끝이 났다.

며칠 후 엄마는 정신과 상담을 시작했다. 가장 힘들고 외로웠던 순간을 아무도 눈치채지 못해 스스로 다독여야 했다. 긴 푸념에 귀부터 막기 전에 왜 힘든지 물어볼 생각은 못 했던 내 머리를 한 대 쥐어박고 싶다는 말에 의사는 '몰랐을 수도 있는 일'이라고 했다. 엄마 자신도 갱년기 우울증이라고 자각하지 못했을 수 있고, 가족이라도 직접 말하기 전엔 알 수 없는 것들이 존재한다고. 아랫사람이 윗사람의 마음을 스스로 헤아리기란 사실상 어려운 일이 아니냐고. 더구나 노화에 대한 이해는 부족한 게 더 자연스러운 일이라고.

이상하게도 내가 생사를 오가던 순간은 괜찮은데, 가족의 힘든 기억을 떠올리면 얼굴 안쪽이 뜨거워진다. 그때 알았으면 좋았을 텐데, 꼭 지나고 나서 불쑥 튀어나와 죄책감에 몸 둘 바를 모르게 한다. 몇 년 동안 지겹게도 이어지던 장마 속에서도 한결같이 나를 사랑해 준 사람들에 대한 감정은 다행히도 다치거나 닫히지 않은 모양이다. 자녀가 성인이 되고, 각자의 삶을 개척하는 동안 부모님은 갱년기를 맞이한다. 항상 든든한 존재였던 부모님의 마음 한구석에 어린아이가 생겨난다. 늘 말없이 뒤에서 응원해 주던 큰 존재가 갑자기 돌변해서 아이처럼 보채기도 하고, 사춘기 자녀가 그리하듯 이유를 알 수 없는 신경질을 부리기도 한다. 본인이 왜 화를 내고 있는지도 모르는 채로.

스스로도 어쩔 수 없는 신체의 노화와 그로 인한 상실감은 아무리 상상해도 다 가늠할 수 없을 것이다. 서른이 되면 하늘이 무너질 것처럼 답답했던 그때를 떠올리면, 자연스러운 노화를 받아들이는 것은 누구에게나 버거운 일이다.

어른들의 갱년기 증상에는 남녀 구분이 없다고 한다. 자녀를 다 키우고 나면 허탈하고 외로워지는 빈 둥지 증후군과 비슷한 맥락이 아닐까. 부모님이 갑자기 땀을 많이 흘리시거나 부쩍 예민해진 느낌이 들면 조심스럽게 갱년기를 검색해 보길 바란다. 요즘은 갱년기 증상이나 우울증에 대한 관심이 높아져서 관련 자료를 찾기가 쉽다. 갱년기 증상에 좋은 음식이나 영양제에 관한 자료도 많다.

우리가 지독한 사춘기를 겪으며 무례하고 못되게 굴 때 그것을 받아준 부모님을 생각하면 백만 번 안아 드려도 부족하니, 영양제도 좀 사드리고, 따뜻한 말 한마디라도 해 드리는 건 어떨까. 유교 사상이나 효도, 인간의 도리를 다 떠나서 가족들에게 미안했던 기억이 떠오를 때마다 죄책감과 후회에 몸부림치는 건 누구도 아닌 나 자신이었다.

아무도 괜찮냐고 묻지 않았다

정신과 약을
논하자면

첫 상담에서 네 가지 종류의 약을 받았다. 수면제와 신경 안정제였는데, 아침, 저녁에 먹는 약과 자기 전에 먹는 약이었다. 잠을 제대로 자니 살 것 같았다. 두 번째 상담은 대망의 인성 검사 결과를 듣는 날이었다. 의사는 다짜고짜 내게 '참 착하다'며 그동안 많이 힘들었겠다고 했다. 이유는 모르겠지만 그 말에 또다시 무언가가 터져, 한참 울었다.

운 건 운 거고, 아닌 건 아니었다. 진정이 된 다음 나는 착하지 않다고 했고, 의사는 그래서 착하다고 했다. 착하게 생각하려고 애를 쓰며 버틴 게 기특해서 착하다고. 결론은 착하지 않은 사람이 어떻게든 착하게 살아 보려 안간힘 쓰고 있었다는 웃픈 이야기.

드라마에서는 심장 질환이 있는 회장님들이 갑자기 뒷목이 뻐근한 상황에서 약을 뒤지다 결국 찾지 못해 죽음을 맞이한다. 그게 자꾸 마음에 걸려 내가 먹을 약은 불안하거나 심장 박동이 빨라질 때

위급하게 먹는 약이 아니었으면 좋겠다고 했다. 의사는 식후에 규칙적으로 먹을 수 있게 처방해 주었다.

약을 먹는다고 이미 시작된 부정적인 생각이 사라지거나 걱정스러운 것들이 갑자기 괜찮아지는 아름다운 미법은 일어나지 않는다. 나의 경우는 내게 지속적으로 스트레스를 주는 사람들이나 그 일에 대해 자꾸만 생각하려는 불나방 같은 기질, 가끔 맥락 없는 상황에서 미친 듯이 뛰어 대는 맥박의 느낌이 줄었다. 플라세보효과(placebo effect: 심리적인 요인으로 발생하는 긍정적인 효과)도 있었다고 생각한다.

수면제는 웃지 못할 해프닝도 좀 있었다. 처음엔 주의 사항대로만 복용했으나, 문제는 차츰 익숙해지면서 발생했다. 자려다가 아무 생각 없이 물 마시러 잠깐 일어났는데, 갑자기 시야가 뒤섞이더니 그대로 휘청거리다 넘어졌다. 아마 환각 상태도 이런 느낌일 것 같다. 분명 평평한 바닥인데 여기저기 불규칙하게 솟아 있고, 천장이 촛농처럼 늘어져 바닥에 닿아 있었다. 몸이 막대사탕이 된 것처럼 무게중심이 머리에 쏠렸다. 이게 어떤 상황인지 생각하려는 순간 그대로 쓰러졌는데, 넘어지면서도 죽긴 싫었는지 머리를 감싸 쥐고 넘어진 채 아침이 되었다.

야근이나 전화에 시달리다 늦게 잠드는 날은 기상 시간이 엉망이 되었다. 수면제를 먹은 후 최소 8시간 이상 지나야 내가 깨어날 수 있다는 사실을 알게 된 날이 첫 지각이었다. 사유서도 쓰고, 얼마나 많은 사과와 반성을 했는지 지금도 아찔하다.

정신과 치료를 받으면서 느낀 점이 있다면 인간은 호르몬의 노예라는 것이다. 단순히 스트레스와 그로 인한 화가 쌓여서 생긴 마음의 감기쯤으로 생각했는데, 내 몸이지만 내 말을 안 듣는 것은 감정뿐만 아니라 호르몬 문제도 있었다. 지속적인 스트레스로 호르몬들이 통제를 벗어나면 감정 조절도 안 되고, 몸이 제 기능을 하지 않는다. 느껴야 할 것들을 못 느끼고, 이제 그만 멈춰야 하는 것들이 멈추지 못한다.

원래도 매우 건강했지만 교통사고 후 살이 많이 찐 상태였는데, 스트레스를 받을 땐 한 달 만에 10kg이 넘게 빠지더니 약을 먹으면서 무서울 정도로 폭발한 식욕 덕분에 오히려 빠지기 전보다 더 쪘다. 한창 살이 빠질 때 시작된 하혈은 두 달이 되도록 그치지 않았다. 그때 머리카락도 너무 많이 빠져서 큰 병일까 두려워 병원도 못 가다가, 정말 죽을 것 같아 용기를 냈다. 초음파검사 결과 몸 내부는 건강했다. 당시에 만나는 의사들마다 소견이 같았다. 극.심.한.스.트.레.스 그리고 호르몬 이상.

1년 가까이 정신과 상담과 약물 치료를 병행하면서 크고 작은 부작용과 일이 좀 있었지만, 복용에서 중단까지 절대 임의로 판단하지 않고, 의사의 지시에 따랐다. 특히 정신과 약은 임의로 중단하면 매우 위험하다고 여러 번 강조해서 철저히 지켰다. 덕분에 꽤 지난 지금까지도 부작용은 없다. 요즘의 식욕은 맛있는 걸 좋아하는 원래 내 식욕이다.

약물은 인간의 질병을 치료하기 위해 만들어졌지만 사람마다 체질이나 받아들이는 양상이 모두 다르기 때문에 부작용은 어쩔 수 없을 것이다. 조심히 경과를 지켜보는 수밖에 없다. 평소에 좋아하지도 않던 걸 먹고 있거나 숨 막힐 때까지 먹어야 불안한 마음이 잠깐이라도 사라질 땐 스스로가 좀 무시웠지만, 그렇게라도 살고 싶은가 보다 하며 스스로를 이해하려 노력했다. 부작용이 무서워 치료를 포기한다면, 지키는 것보다 잃는 것이 더 클 테니까.

무엇보다 중요한 것은 내 의지가 반드시 함께 해야 한다는 점이다. 혼자 힘으로는 해결할 수 없는 불면증이나 심각한 불안 증상 같은 것은 약물 치료가 반드시 수반되어야 하는데, 내가 병원을 가지 않거나 약을 먹지 않는다면 아무도 도와줄 수가 없다. 또한 아무리 유능한 의사를 찾더라도 내가 적극적으로 치료에 임하지 않으면 소용이 없다. 아무리 맛있는 음식도 내가 입으로 씹어 삼켜야 내 것이 된다.

누가 도와줄 수도 없을 만큼 힘들다면, 의사를 믿고 약의 힘을 빌리는 것도 하나의 방법이 될 수 있다. 약물 자체가 두렵고 거부감이 들었던 건 나도 마찬가지였지만, 약을 먹어야 낫는 증상도 있다. 병원에서 치료할 수 있다는 건, 당신이 나약하거나 문제가 있는 것이 아니라 어딘가를 다쳐서 아프다는 것이다.

아픈 건 내 잘못이 아니다. 그러나 치료는 내가 용기를 내야지만 시작할 수 있다.

끝까지 참으면
끝까지 미운 오리 새끼

미운 오리 새끼는 생긴 게 다르다는 이유로 어미와 형제들에게 외면당한다. 끊임없이 날아드는 비난과 괴롭힘을 묵묵히 견뎌 내며 버텨 보려 했지만, 결국 눈물을 머금고 무리에서 떠나 살길을 찾아나선다. 못살게 굴던 무리에서 떠나왔지만 세상은 녹록하지 않았다. 혹독한 겨울, 따스한 손길을 만나 잠시 마음을 놓으면 금세 방해꾼이 나타나 괴롭혔고, 오히려 가족들에게 구박을 받던 시절보다 더 고통스러웠다.

오리는 절망스러운 현실에 더는 자신을 방치하지 않는다. 주어진 현실을 받아들이고, 해결 방법을 고민한다. 그리고 어쩌면 더 힘들지 모르는 어둠을 향해 걸어 나간다. 스스로를 지키기 위해 고군분투하는 동안 봄이 오고, 얼음이 녹는다. 그리고 깨닫는다. 자신이 미운 오리 새끼가 아니라 그토록 부러웠던 백조였음을.

가끔 그런 생각이 들기도 했다.

'정말 나 하나 참았으면 될 일을 내가 망친 건가, 그때 한 번 더 참았더라면 지금 달라졌을까'하는. 한참이 흘렀는데도 가스라이팅의 그늘에서 벗어나지 못하고, 내 잘못부터 찾고 있는 호구스러운 발상. 어릴 땐 미운 오리가 마냥 불쌍했지만, 성인이 되고 보니 생각할 것이 많아진다. 비참한 상황만 견디면 그래도 안전한 곳에서 살 수는 있었을 텐데, 나였다면 어땠을까. 막막한 어둠 속으로 다시 나아갈 수 있을까.

어떤 사람들은 '한 번 져 주면 편할 것을 왜 똑같이 대들어서 일을 크게 만드느냐'며 오히려 피해자를 탓한다. 힘세고 목소리 큰 사람은 '원래 저런 인간'이고, 힘없는 피해자는 쥐 잡듯 잡는다. 잘 다독여서 혼자 조용히 당하고 지나가게 만든다. 때리는 사람이 때리질 말아야 하는 건데, '애초에 맞을 짓을 하지 말았어야 한다'며 2차 폭력을 가한다.

정말 당하는 사람이 한 번만 참으면 조용히 지나가고, 상습적으로 해를 끼치는 사람을 한 번만 용서해 주면, 갑자기 잘못을 뉘우치고 개과천선할 수 있을까? 그게 가능하다면 애초에 가정 폭력, 데이트 폭력, 스토킹 피해 사망자가 생길 이유가 없다. 미운 오리 새끼가 끝까지 인내심을 발휘했다면, 자신이 백조라는 사실은 죽을 때까지 알 수 없었을 것이다.

미운 오리 새끼처럼 힘차게 도약하진 못했지만, 나는 지금 어둠 속을 걷는 중이다. 힘들었던 사회생활을 접고 휴식을 택했다. 맡았던 일을 마무리 지은 후에 휴대 전화를 없앴다. 적극적인 행보는 아니었지만, 적어도 계속 참아 줄 필요가 없는 것들은 정리했다.

한때 정원사 같은 삶을 꿈꿨다. 생명을 가진 모든 것은 존엄하며,

인간의 언어를 할 줄 아는 존재라면 악해서가 아니라 몰라서 저지르는 잘못이 더 많다고 믿었다. 슬프게도 아무리 노력해도 인간이 할 수 없는 일은 늘 존재한다. 무엇보다 나는 끝없이 희생할 수 있는 그릇이 아니었다. 숭고한 희생정신도, 인내심도 없었다. 다행히도 나를 아주 많이 사랑하긴 했다.

그동안 나를 힘들게 했던 일들에 대한 기분을 묻는 의사에게 나는 '배신감, 분노'라고 했다. 그러나 나의 인성 검사 결과는 나조차도 모르고 있던 진짜 감정을 짚어 주었다. 내 진짜 감정은 억울함과 두려움이었다. 꽤 오랜 시간 소중히 품어 왔던 이름들과 한때 내가 많이 좋아했고, 조금은 존경하기까지 했던 사람들에 대한 믿음이 깨져 버렸을 때, 조금 억울했나 보다. 누가 시킨 것도 아니고 내가 좋아서 여기까지 달려왔는데, 내게 힘을 주던 것들이 사실은 모두 허상이었다는 것을 깨닫는 순간은 너무나 허무하고 비참했다. 캄캄한 밤이었다.

슬프지만, 노력해도 불가능한 것이 세상에 꽤 많다. 특히나 그것이 내가 아닌 타인의 문제라면 더더욱 그렇다. 미운 오리 새끼는 절망적 상황에 자신을 버려두지 않았다. 잠깐의 안전보다는 자기 자신을 더 사랑했다. 나만 참으면 조용히 넘어가는 일들을 참기 시작하면, 계속 그런 일만 생긴다. '이번만 용서해 주면 다신 안 그런다'거나 '너도 잘한 건 없지 않느냐'는 말에 속아 또다시 나 자신을 구할 기회를 놓친다면, 스스로를 버리는 것과 마찬가지다. 백조인지는 모르겠지만, 나는 미운 오리 새끼로 남고 싶진 않다.

불편을 마주할
용기

초등학교 1학년 때 받아쓰기 시험에서 한 글자를 틀려 90점을 받았다. '습니다'에서 'ㅂ'을 'ㅁ'으로 적은 것이다. 완벽해야 할 나의 받아쓰기 시험지에 빨간 사선이 있다는 사실을 받아들일 수 없었던 나는 삐뚤빼뚤 처음이자 마지막으로 성적표를 조작했다. 한 손으로 물구나무 서서 봐도 조작한 티가 팍팍 나는 시험지를 '오늘도 100점'이라며 부모님께 자랑스럽게 내밀었다.

엄마는 시험지를 가만히 들여다보며 정말 100점이냐고 물었고, 나는 100점 맞고 싶었다고 했다. 엄마는 틀린 글자에 대해 설명해 주고, 문제를 틀린 것보다 거짓말로 남을 속이는 게 더 부끄러운 일이라고 했다. 그날 늦게까지 받아쓰기 공부를 엄청 열심히 했다. 그 후에도 혼날 짓은 꾸준히 했지만, 내 잘못에 대해서는 늘 솔직하게 인정하고 사과했다.

부모님은 내게 가장 좋은 정답을 주지 않았다. 문제가 생기면 스스로 정면돌파하면서 답을 찾아가게끔 나를 믿어 주셨다. 어려서부터 성취욕이 대단했기 때문에 시험을 보면 항상 100점을 받아야 직성이 풀렸고, 무언가를 잘하고 싶다는 생각이 들면 지독하게 파고드는 면이 있어 스스로도 피곤할 때가 많았다. 만약 이런 나의 성향을 무시하고 부모님의 기준을 따르도록 강요받았다면, 나는 내적 동기에 움직이는 능동적인 인간으로 성장하지 못했을 것이다.

일을 그만두고 외부에서 오는 스트레스는 모두 차단했지만, 오히려 기대와 달리 더 큰 무력감과 지독한 침묵의 터널이 기다리고 있었다. 좋아지는가 싶다가도 하룻밤 자고 일어나면 원상 복귀 상태였고, 심각한 것들을 해결하고 나니 온 신경이 과거에 쏠리는 듯했다. 왜 그랬는지 모르지만, 계속 지나간 일들을 상기하며 원인을 찾고 시발점을 구분해 내는 것에 열을 올렸다. 답이 없는 문제들을 끌어안고 곱씹을수록 어둠은 짙어졌고, 우울은 깊어만 갔다.

생각하기 싫어 미뤄 두고 있었지만, 사실은 알고 있었는지도 모르겠다. 힘들었던 시절 나를 공격했던 것들에 집중하면서 그것들을 원망하고 탓이라도 해야, 그 핑계로 어둡고 막막한 가시덤불 같은 현재를 버려두고 있는 것에 대한 죄책감이 좀 가벼워질 테니까. 오늘의 내 모습을 볼 용기가 없으니까.

의사는 언제나 치료 방법이나 앞으로의 일들을 내가 생각하고 결정할 수 있게 기회를 줬다. 끊임없이 의견을 물으며, 나의 상태를 스스로 표현하게 했던 방식이 나에게는 가장 적절한 자극이 되었다. 내 상태를 끊임없이 체크하다 보니 애써 외면하던 것들이 보일 수밖에 없었다. 감당하기 힘든 일들을 정리할 엄두가 나지 않아

차라리 나무가 되고 싶은 새벽엔

감정 자체를 차단했던 것, 양심은 있는지 그런 내 모습을 부끄러워하고 있었던 것 그리고 내일에 대해 생각하기 두려워 자꾸만 과거에 숨어 있었던 것.

힘겨운 나의 시간에 정작 내가 없었다. 그때나 지금이나 시작이야 갑자기 몰아치는 폭풍에 휘말린 것이었지만, 쏟아지는 빗속을 헤치고 길을 찾는 것은 결국 나만 할 수 있는 것이었다. 그때도 길을 잃자마자 잽싸게 손을 떼고 남 일 구경하듯 방관해놓고, 이제는 현실에서 손을 떼고 과거에 살고 있었다. 이리저리 도망만 다니고 있었다.

눈을 가리고 있던 안개가 걷히고 나니 방향을 선택하기가 수월해졌다. 아무리 유능한 의사라도 매번 '힘들어요, 무서워요, 쉬고 싶어요'만 반복하며 자신이 뭘 원하는지도 모르는 환자를 낫게 해 줄수는 없는 일이었다. 이제는 용기를 내야 했다. 껍데기만 남겨 두고 비겁하게 도망쳤던 그 자리로 돌아가 현실에서 눈을 뜰 용기. 아무리 끔찍한 일을 당해도 죽을힘을 다해 버텨 주었던 나를, 자꾸만 힘든 상황에 무책임하게 내버려둬서 하찮은 취급을 받게 만든 것을 사과할 용기. 그리고 그때의 나를 용서해 줄 용기.

가슴이 울렁거렸다. 아직 달라진 건 하나도 없지만, 이제라도 일어나게 된다면 나는 주저앉아 버린 게 아니라 잠깐 쉬고 일어나는 것이 된다. 인생이 끝나 버린 게 아니라 시즌이 종료된 것이므로, 나는 다음 시즌을 준비하면 되는 것이다.

칭찬은
밥 먹여 주지 않는다

어릴 때부터 칭찬을 많이 받으며 자랐다. 성취욕이 대단해 목표가 생기면 집념을 불태우는 스타일이라 학교에서 상도 많이 받았다. 매년 성적 우수상을 받았고, 자잘한 손재주가 많아 글짓기나 미술 대회에서도 상을 많이 받았다. 내가 좋아서 몰두하는 일이었어도 사람들의 칭찬은 늘 기분 좋은 에너지였다.

특별한 이유 없이 남을 미워하는 사람들은 내가 잘해도 여전히 나를 미워한다. 노력의 결과를 '운'으로 치부하고, 내가 잘되면 묘한 불편함을 드러낸다. 후려치기는 기본이고, 본인의 부정적인 생각에서 벗어나는 것들을 견디지 못한다. 나를 움직이게 하는 것은 언제나 내 마음속 의지였고, 몸이 힘들어도 괜찮았지만 누군가에게 받는 미움은 의연하기가 쉽지 않았다. 칭찬은 고래도 춤추게 한다는데, 춤추기 직전에 초를 치는 사람들이 자꾸만 신경 쓰여 마음이 불편했다.

언젠가부터 남의 시선이 나를 움직이기도 했다. 마음이 불편해지

차라리 나무가 되고 싶은 새벽엔

는 것을 어떻게든 피하고 싶어 생각해 낸 방법은 적을 만들지 않는 것이었다. '미움받지 않는 것=적을 만들지 않는 것=칭찬받는 것'이라는 이상한 공식이 생겨버렸다. 칭찬받는 것은 쉬웠다. 하기 싫지만 하고, 괜찮지 않지만 괜찮다고만 하면 다들 칭찬했다. 가끔 내가 희생을 결정하기도 전에 칭찬부터 하는 사람도 있었지만, 괜히 얼굴 붉히느니 '선 칭찬 후 부탁'에 따르는 편이 나도 감정 소모가 덜했다.

불편함 대신 잠깐의 마음 편함을 선택하는 삶은 결코 편하지만은 않았다. 누군가의 자발적 희생을 기다리는 민망함을 견디느니 차라리 조별 과제 조장을 자원하고, 부탁을 거절하고 불편해지느니 내가 손해 보는 게 편했다. 그러다 너무 바쁘다는 조원들을 만나 혼자 찬반 의견을 상상하며 토론 대본을 짜고, 보고서와 PPT 작성, 발표까지 혼자 해내며 내 안의 잠재력을 발견당했다.

사회생활은 조금 달랐다. 미움을 받는 일이 늘었고, 그것을 견디는 마음의 면역력은 오히려 줄었다. 근거 없는 비난에도 위축되었고, 스트레스 받느니 나를 낮추거나 희생시키는 편이 가장 안전했다. 칭찬은 무리한 요구나 부탁을 들어줄 때만 배터지게 들을 수 있었다. 보통은 무리한 요구를 거절당하면 부끄러운 줄 알지만, 그렇지 않은 사람들은 앙심을 품고 내게 피해를 입은 것처럼 행동했다.

안 그래도 힘든 거절은 점점 죄악시되었고, 다 커서 착한 어린이병에 걸려 예스맨이 되었다. 칭찬은 늘었으나, 삶이 피곤해졌다. 무리한 요구에도 거절하면 미움을 살까 안절부절못하고, 피치 못

아무도 괜찮냐고 묻지 않았다

한 사정으로 거절할 땐, 대신 더 큰 손해를 제시해야 마음이 놓였다. 5를 부탁받고, 거절할 땐 7이나 8을 제안하고도 신경이 쓰였다.

특히 고마웠던 사람의 제안이나 부탁은 절대 거절하면 안 된다는 이상한 신념에 사로잡혀서 내키지 않으면서도 신나는 척 신들린 연기를 펼쳤다. 나름 의리의 표현이었으나, 타고나길 개인적이고 독립적인 인간이 애매하게 거절도 못 하며 시간을 빼앗길수록 몸은 몸대로 힘들고, 자괴감이 들었다. 남의 눈에 비치는 내 모습에 에너지를 쏟는 동안 나는 기본적인 방어력과 면역력까지 소진해 버렸다.

인본주의 심리학자 매슬로(Abraham Harold Maslow)에 의하면 인간의 욕구는 다섯 단계(1단계: 생리적, 생존 욕구, 2단계: 안정감, 안전 욕구, 3단계: 소속감의 욕구, 4단계: 인정의 욕구, 5단계: 자아실현의 욕구)로 이루어져 있다는데, 나는 사회생활을 하면서 5단계에서 4단계로 그리고 2단계로 퇴화하고 있었다. 내가 정한 목표를 이루는 것에 만족감을 느끼고 또 다른 도전에 흥미를 느끼던 모습은 사라지고, 내가 손해 봐도 인정받는 것, 마음 편한 것이 목표가 되어 있었다. 사회적 평판에 지나치게 많은 에너지를 쏟느라 방전된 탓에 외부 공격에 적절히 대응할 정신적인 면역력까지도 남아 있지 않았던 것이다.

의사는 모든 일의 원인을 내게서 찾는 것은 지양해야 한다고 했다. 나도 같은 생각이지만, 언젠가부터 남에게 인정받는 것에 과할 정도로 집착했던 것은 사실이다. 살다 보면 거절할 수도 있고, 누군가 내게 서운할 수도 있고, 이유 없이 미움을 받을 수도 있고, 나도 누군가를 미워할 수도 있는데 나는 '좋은 인간'이 되기보다 '좋은 사람'으로 보이는 것에 치중했다. 건강한 관계를 가꿀 생각은 않고, 내가 원하는 모습으로 보이기 위해 균형이 깨진 것도 외면하며 판단의 기준을 잃어버렸다.

칭찬은 여전히 좋다. 하지만 그것이 전부는 아니다. 좋은 평판을 갖게 되는 건 기분 좋은 일이지만, 단지 그것을 위해 나를 포기하면서까지 무리하게 맞춘다고 좋은 인간이 되는 것은 아니었다. 이제 나에게 '좋은 사람'은 모두에게 인정받고 사랑받는 사람이 아니라, 꾸준히 자신의 내면을 가꾸며, 주변 사람들과 건강한 관계를 유지하는 사람이다. 몸과 마음이 건강한 사람.

요즘 들어 정치인들이 주로 사용하는 '유감'화법이 끌린다. 무례한 부탁이나 내키지 않는 일에 괜히 죄책감부터 느끼지 말고, '정말 유감'이라며 담백하게 거절하는 것도 꽤 근사한 방법이 아닐까 생각한다. 나에게 소중한 사람이라 오래 보고 싶다면, 상대방도 그만큼 나를 존중해야 건강한 관계가 유지될 수 있다. 아무리 친하고, 고마운 사람이라도 나의 입장을 전혀 고려해 주지 않는다면 그 사람과의 관계는 유감이지만, 거기까지다.

엔딩
폴리시

엔딩 폴리시(ending policy, 전화 끊기 정책)란, 상담 노동자들의 고충이 알려지기 시작하면서 현대카드에서 채택한 정책으로 고객의 욕설 수위에 맞춰 3단계로 경고하고, 그래도 욕설하면 상담 노동자가 먼저 전화를 끊을 수 있게 한 것이다. 아무리 근로자라도 누군가에게 욕을 듣고 있어야 할 의무가 없다는 것을 인정해 주는 멋진 정책이라 생각한다.

앞서 말했듯 나는 휴대 전화 공포증에서 완전하게 벗어나지 못했다. 지금은 직장인도 아니고 내 전화번호를 아는 사람도 많지 않지만, 어디선가 현재진행형으로 고통받는 사람도 있을 테니 조직이나 제도적 차원에서 보호해 주면 좋지 않을까 하는 생각도 든다. 조직이 개인을 적극적으로 지켜 주지 않는다면 일개미 입장에서는 당당하기가 힘들다. 민원이라도 들어오면 본인 승진에 문제 생길까 전전긍긍하며 일단 덮고 싶어 하는 중간 관리자들이 있는 한, 개인은 소극적일 수밖에 없다.

차라리 나무가 되고 싶은 새벽엔

상식을 벗어난 민원은 차분한 사람을 미치광이로 만들고, 시도 때도 없는 연락은 평범한 인간을 공황 장애로까지 몰고 간다. 안타깝게 여기긴 해도 누구 하나 사과하거나 보상하지 않는다. 다들 그렇게 살고 있고, 어차피 규정에도 없으니까.

나는 다소 극단적인 방법으로 나만의 엔딩 폴리시를 실행했다. 제일 스트레스였던 그래서 가끔 부숴 버리고 싶었던 휴대 전화를 없애 버렸다. 현재진행형일 때 했다면 효과가 더 좋았겠지만, 상황이 종료된 후 사람들에게서 잊힐 때 즈음 실행한 것도 나쁘지 않았다. 아무에게도 타격을 주진 못했지만 나도 그게 마음이 편했고, 또 능동적으로 스트레스의 원인들을 차단했다는 것에서 오는 심리적인 만족도 있었다.

전화기를 새로 사면서 통신사도 바꾸고, 10년 넘게 쓰던 번호도 바뀌 버렸다. 워낙 쉽고 좋은 번호라 통신사에서 뜯어말렸지만, 번호가 그대로라면 의미가 없었다. 어차피 목적은 가성비가 아니라 가심비였다. 상담 초기에 전화번호를 바꿔 보는 건 어떻겠냐는 의사의 권유에도 답답할 정도로 주저하던 내가 결단을 내리게 만든 일이 있었다. 양심이 있다면 더 이상 연락하지 말아야 할 사람들이 아무렇지 않게 연락해 왔기 때문이다.

너무나 아무렇지 않게 예전처럼 본인 감정 쓰레기들을 장편 소설로 엮어 메시지를 보낸 사람의 심리가 궁금해질 지경이었다. 그 다음날은 불법 행위를 해 줄 수 있냐는 다정한 전화도 받았다. 그날 확고한 결단을 내렸다. 그 사람들의 연락처에서 사라지기로. 성숙한 방법은 아니었지만, 그 사람들은 영원히 변하지 않을 텐데 나만 정중할 필요는 없었다.

엔딩 폴리시를 관계에 적용해도 꽤 좋을 것 같다. 무조건 참아야 할 이유도 없지만, 내가 표현하지 않으면 상대는 정말 모른다. 관점이나 성향의 차이일 수도 있으니 내가 불편함을 느낀다고 정중히 말한 후 그것을 지켜 준다면 더 돈독해지는 것이고, 또다시 선을 넘으면 인연을 잠시 멈추거나 종료할 것임을 알린다. 무엇보다 마음에 드는 점은 주어가 나라는 것이다. 나는 정중하게 내 입장을 전달했고, 상대는 나에 대한 무례함의 결과로 나와의 인연을 종료 당하는 것이다.

상담이 좋았던 이유 중 하나는 '나'라는 사람에 대해 이렇게까지 깊이, 오래 생각해 본 적이 없었는데 상담을 통해 나 자신을 들여다보는 시간이 늘어났다는 점이다. 차마 눈을 뜨고 볼 용기가 나지 않던 나의 오늘과 어제를 찬찬히 살펴보면서 반성도 많이 했고, 그 과정에서 생각을 수정하기도 했다. 그중 하나가 바로 내가 말을 하지 않으면 상대는 내 마음을 모른다는 것이었다. 오해인지 정말 나를 공격하는 것인지 제대로 알기 위해서라도 내 입장을 이야기할 필요가 있었다.

긴 터널을 지나오면서 깨달은 것이 있다면, 고통스러운 기억들을 제대로 마무리하는 과정에서 내가 성숙하고 있다는 것이다. 어떤 관계였든 헤어짐은 늘 힘들고, 아쉽고, 아프다. 하지만 사람을 만나 소중한 시간을 공유하다 그 인연을 종료하는 일련의 과정들은 돈을 주고도 배울 수 없는 귀한 가르침인 것만은 인정해야 했다. 그것이 사람이든 시간이든 기억이든 비록 그 결과는 아름답지 못하다 해도 내 삶에 머물다 가면서 나를 더 성숙하게 만든 것은 사실이니까.

말은 거창하게 했지만, 성숙한 이별에 대해서는 앞으로도 깊이 고민해야 한다는 걸 알고 있다. 나를 힘들게 했던 시간과의 이별을 위해 고마운 사람들과의 소중한 관계까지 모두 정리해 버린 것은 결코 성숙한 방법이 아니었다는 것도. 변명이지만 그때는 성숙한 종료보다는 내가 살아야 해서 가족과 친구 몇 명을 제외하고 모두와 단절했다. 그리고 신생아의 마음으로 다시 관계를 구축해 나가는 중이다.

이제는 살면서 만나고 헤어지는 사람들을 같은 버스에 타고 있는 사람들이라 생각하기로 했다. 같은 버스를 타고 있긴 하지만 각자 목적지에 도착하면 망설임 없이 내린다. 누군가 내 옆에 앉을 수도 있지만 그가 자리를 옮긴다고 해서 그것을 서운하게 여기지 않는다. 벨을 누르기 힘든 상황이면 대신 눌러 달라고 부탁할 수도 있고, 앞사람이 연 창문의 바람이 너무 심하면 정중히 문을 조금 닫아 달라고 부탁하기도 한다. 모르는 사람이라 그런지 과하지 않은 부탁이나 거절이 어렵지 않다.

만남은 반드시 이별을 동반한다. 만남과 이별 사이의 거리만 다를 뿐, 모든 인연에는 반드시 이별이 존재한다. 극단적이지만 나는 그렇게 생각하니 마음이 한결 가벼워졌다. 건강한 관계를 유지하

아무도 괜찮냐고 묻지 않았다

려면 버스에서 처음 본 사람에게 하는 정도의 가벼운 부탁이나 거절은 할 수 있어야 한다는 생각에, 요즘은 실제 생활에서도 실천하고 있다. 당일이나 하루 전에 만나자는 제안은 거절하기도 하고, 친한 사람의 호의는 고맙게 받는다.

각자의 목적지가 있듯 각자의 삶이 있다. 소중한 사람들과 좋은 인연을 쌓는 것도 의미 있는 일이지만, 삶의 방향이 달라 아쉽지만 하차하는 사람을 잘 보내 주는 것도 더 성숙한 사람이 되기 위한 과정이라고 믿는다. 관계를 종료하는 것은 분명 힘든 일이지만, 그것을 통해 나도 스스로를 돌아보며 부족했던 부분을 개선하고 더 나은 사람이 되기 위해 노력한다면 이별이 슬프기만 한 일은 아닐 것이다.

용서하지 않아도
괜찮아

어릴 땐 선생님을, 병원에선 의사를 무조건적으로 신뢰하고 협조적인 자세로 살아온 내가 딱 하나, 동의하지도 이해하지도 못한 조언이 있다. '진정한 자유는 내가 용서해야 누릴 수 있다'는 말. 의사를 신뢰했기 때문에 어떻게든 용서해 보려고 애를 써 보긴 했다. 용서할 수 있게 도와 달라고 기도도 하고, 내 마음을 다스리려 안간힘을 썼지만 실패였다. 착하지 않은 나의 마음씨가 격렬히 거부했다.

제대로 사과를 하지도 않았고, 사과할 생각도 없는 사람을 내가 먼저 용서하기란 쉽지 않은 일이었다. 모양새도 좀 우습고. 그동안 의사의 조언은 모두 납득이 되는 것들이라 따르는 데 어려움이 없었으나 용서는 내 능력 밖이었다. 마음이 따라오질 않는데 내가 무슨 수로 용서할까.

마지막 상담이라고 정한 것은 아니었지만 결과적으론 마지막 상담이 된 날, 진료실을 나오려다 말고 가벼운 마음으로 물었다.

"지난번에 말씀하신 용서요. 그거 아무리 해도 안 되는데, 억지로

아무도 괜찮냐고 묻지 않았다

할 필요는 없겠죠?"

왠지 의사의 말을 거역한 것 같아 미안해서 멋쩍게 웃었는데, 의
사는 엄청 난처한 얼굴로 손사래까지 치며 내게 사과했다.

"아이고, 미안합니다. 표현을 헷갈리게 해서 마음이 무거웠겠네
요. 내 말은 무조건 용서하라는 게 아니라 용서하고 나면 그때 비로
소 자유로워질 거란 말이었어요. 정말 미안합니다."

생경한 장면이었다.

우리 중 누구의 잘못도 아니었다. 누가 봐도 나는 의사를 신뢰했
고, 의사는 하나의 인격체로서 나를 존중했고, 매 진료마다 최선을
다했다. 그런 의사의 조언을 받아들이지 못한 나도, 본인의 의도가
잘못 전달된 의사도 잘못한 게 없었다. 그런데 본인의 조언이 잘
못 전달된 사실에 속상해하면서도 그것을 오해한 상대방에게 진
심으로 사과할 수 있는 어른이 몇이나 될까. 심지어 상담자와 내
담자 사이에서.

의사는 혹시 용서하지 않기로 정한 거냐고 물었고, 나는 "네! 용
서하기 싫은데요?" 했다.

그날 나는 엉거주춤 선 채로 의사에게 칭찬을 받았다. 정말 잘했
다고. 앞으로도 그렇게 생각하면 된다고. 내가 마음속으로 용서하
지 않기로 정한 거면 그게 맞는 거라고.

그리고 본의 아니게 그게 마지막 상담이 되었다. 의사와 네 번의
계절을 보내고 또다시 여름이 오고 있었다.

혹시 누군가를 용서하지 못해 내 이야기를 읽으며 마지막쯤 나와줄 극적인 용서와 화해의 결말을 기대하고 있다면, 미리 사과해야 할 듯하다. 나는 나를 힘들게 했던 사람들을 잊지도, 용서하지도 않았다. 앞으로도 굳이 용서하려고 애쓸 계획도 없다. 내가 많이 힘들었고, 그만큼 고통받았던 일들을 억지로 용서할 만큼 나는 착하지 않다. 계속 마음에 담아 두고 원망하며 분노할 생각도 없지만, 우러나오지도 않는 용서와 이해를 쥐어짜는 것은 하지 않기로 했다.

그동안 미움이 북받쳐 오르면 열심히 미워하고, 입에서 욕이 나오면 욕도 하고, 그때 했어야 할 말들이 생각나면 종이에 또박또박 빼곡하게 썼다. 다시 읽어 보고 소리 내서도 읽어 본 후 잘게 찢어 버렸다. 쓸 때도 후련했지만, 이상하게도 찢는 게 더 짜릿했다. 적어도 내 생각이나 혼잣말에 대해서는 제한을 두지 않게 되었다. 말 그대로 내 마음이니까.

다만 아무리 화가 나거나 싫은 사람이라도 내가 들어서 께름칙할 말들은 하지 않는다. 내 귀는 소중하니까. 그것을 가장 먼저 듣는 사람은 나니까. 글로 쓰고 보니 내가 봐도 미친 것 같지만, 나는 그 과정을 통해 응어리들을 꽤 해결했다. 혹시 어디다 이야기할 수도 없고, 용기도 없는 사람은 종이에 써서 찢는 것을 추천한다. 잘게 찢을수록 후련해서 나중엔 찢는 행위에 집중하고 있는 자신을 발견할 수도 있다. 실제로 손을 사용하는 것이 생각보다 많은 에너지를 요구하기 때문에 스트레스 해소에도 도움이 된다고 한다.

드디어 꽤 오래 입에 달고 살던 '내가 이러면 안 되지만, 이런 생각하면 안 되지만'의 저주에서 풀려났다. 안 되긴 뭐가. 왜 나만 안 돼.

도저히 용서가 안 되는 일이 있다면, 그냥 내버려 둬도 된다. 용서하지 않아도 괜찮다. 사실 괜찮은 게 아니라, 용서를 하고 말고는 오롯이 내 몫이다. 그 누구도 강요할 수 없다. 내 마음이 힘들었고 아직 아물지 않아 억지로 용서하고 싶지 않다는데, 아무리 마음의 주인이 나라고 해도 감정까지 마음대로 명령할 순 없다. 내가 정한다고 해서 마음이 따라 주지도 않는다. 제대로 된 사과조차 받지 못했다면 그렇게라도 해서 내 마음을 달래 줘야 한다. '용서하지 않고 미워하는 시간'을 충분히 주며, 내 마음을 위로해야 한다. 두 번 억울하지 않게.

사과할 생각도 없는 사람을 굳이 용서하려 애쓸 필요는 없다. 자기 일도 아니면서 용서해 주라는 둥 그 사람도 마음고생 많았다고 지껄이는 헛소리를 들어 줘야 할 이유도. 용서하지 않아도 괜찮다. 용서는 진심이 담긴 사과를 듣고 마음이 움직이면, 그때 해도 늦지 않다. 사과는 반드시 해야 하는 일이지만, 용서는 내가 아니라 내 마음이 하고 싶을 때 하는 것이다.

어둠을
몰아내는 것은

정신과 상담에는 완치 개념이 없다고 한다. 어떤 병이라도 재발할 가능성은 존재한다.

처음에는 매주 만나다 점차 텀을 두면서 약을 줄였다. 6개월이 지나면서 더 이상 약은 먹지 않게 되었고, 그때부터는 상담 위주로 진행했다. 나에게도 많은 변화가 있었다. 초기에는 과도한 스트레스와 갑작스럽게 폭발한 감정들이 뒤엉켜 일상생활에 지장이 있었다. 우울증과 불면증, 과도한 염려증과 공포감 때문에 공황 장애와 특정 대상에 대한 거부감이 심했다. 휴대 전화를 병적으로 무서워했고, 스트레스가 심하면 망상에 시달렸다. 누가 찾아와서 해코지할 것 같아 두려움에 떠는 날이 많았다.

일상생활이 무너지면서 생활 패턴이 엉망이 됐고, 자율 신경도 균형을 잃어 내 감정조차 조절하지 못했다. 불안하거나 놀라면 아무 데서나 갑자기 땀이 뚝뚝 떨어져서 사람을 만나는 것도 꺼리게 됐다. 하지만 일도 그만두고 나를 위한 시간을 보내면서부터 서서

아무도 괜찮냐고 묻지 않았다

히 마음이 안정을 찾아갔다. 의사에게 내 가벼운 일상을 이야기하는 시간이 길어졌다.

이제 그만 힘들고 싶다는 마음이 자꾸만 불쑥 튀어나왔다. 사람마다 다르겠지만, 나는 단 한 번도 죽고 싶었던 적은 없었다. 죽고 싶지 않았다. 다만 잠을 못 자고 고통스러운 시간이 길어지면서 나도 모르게 평안함을 갈망하게 되었다. 혹시 자다가 깨어나지 못하게 되거나 사고를 당해 죽게 된다면 그것도 괜찮겠다는 생각을 하곤 했다. 죽고 싶진 않았지만, 군이 발버둥을 쳐서라도 살아가야 하는지에 대해 길게 생각하고 있는 나를 발견했을 때, 병원을 찾아갔다.

깊이 잠든 상태에서 일어나지 않아도 괜찮겠다는 생각은 어느 순간 자취를 감췄다. 아직 밝은 곳을 돌아다니고 누군가와 눈을 마주치는 일은 망설여졌지만, 묘하게 부딪쳐 보고 싶은 마음이 공존했다. 왜 나만 이렇게 오랫동안 멈춰 있어야 하는지에 대한 의문이 든 것도 이때부터다.

몇 년째 내게 글을 써 보라고 권하던 지인의 말에 용기를 냈다. 질색하던 SNS에 글 계정을 개설했다. 남들은 SNS를 하면 자존감이 떨어지고 상대적 박탈감을 느낀다는데, 나는 자율 신경이 이미 망가져서 그런지 엄청난 힐링을 당해 버렸다. 신세계였다. 누군지도 모르는 사람들의 사진을 보며 웃기도 하고 힘을 얻는 게 너무 고마워서 '좋아요'를 엄청 누르고 다녔다. 정말 좋아서!

마지막 상담 후 2주 정도 지났을 때도 나는 병원에 갔다. 정신과 상담은 예약을 받지 않고, 내 주치의는 외부 활동을 하는 분이라 몇 번 어긋났다. 무작정 기다리다 몸이 힘들어서 돌아온 날도 있었다. 딱히 마음이 힘들거나 걱정되는 것은 없었지만, 상담한 지 너무 오래된 것이 찜찜해서 습관처럼 병원을 찾았다. 다음 날은 작정하고 아침 일찍 갔지만 여전히 사람은 많고, 나는 기다려야 했다.

그때 처음으로 이렇게 기다리는 시간이 아깝다는 생각이 들었다. 이러다 오히려 없던 병도 생길 것 같다는 마음이 든 순간 바로 일어났다. 이제 병원에 와야 숨을 쉬는 게 아니라 병원에 있는 것이 답답했다. 그렇게 우리의 상담은 종료되었다.

지금도 힘들었던 기억을 떠올리면 화도 나고, 눈물이 나기도 한다. 하지만 이제는 억지로 잊으려 하거나 괜찮아지려 애를 쓰지는 않는다. 울고 싶으면 울고, 화가 나면 화를 낸다. 숨도 쉬고, 잠도 자고, 밥도 먹는다. 하고 싶은 걸 하고, 보고 싶은 사람을 만난다. 아무것도 하기 싫은 날엔 우주 최강 쓰레기처럼 최선을 다해 아무것도 안 하고 뒹굴거린다. 어차피 출근할 직장도 없고, 내가 허락하지 않는 한, 아무도 내 집에 들어올 수 없다.

그렇게 살다 보니 너덜거리던 마음이 많이 회복되었다. 이제는 먹고 살 걱정도 하게 되고, 벌어둔 돈이 바닥을 보이기 시작하니 남들이 느끼는 현실적인 스트레스를 받는다. 누가 들으면 웃겠지만, 나는 이것이 얼마나 감사한지 모른다. 내가 원한 것은 엄청난 행복도 명예도 아니었고, 나를 힘들게 한 사람들에게 복수를 하는 것도 아니었다.

　그냥 일상으로 돌아오는 것.

　하고 싶은 일을 하면서 번 돈으로 소소한 사치도 즐기고, 대만 치진 섬의 노을에 감격하고, 표지가 예뻐서 고른 책을 읽으며 실망하는 것. 또 호구같이 낚여서 여러 개 주문한 화장품을 지인들에게 선물하는 것. 이러려고 돈 번다며 헛소리를 지껄이는 것. 그런 것들이었다. 요즘은 그런 것들을 느끼며 불평하고 스트레스 받지만, 감사하다. 이렇게 특별할 것 없이 무료하게 살기 위해 죽을힘을 다해 발버둥 친 시간들은 헛되지 않았다.

　내가 병원을 찾은 것은 살기 위해서였다. 숨을 쉴수록 더 숨 막히는 촘촘한 긴장 상태를 좀 어떻게 해 달라고, 울고 웃는 것조차 내 맘대로 되지 않는 마음을 좀 어떻게 해 달라고, 그래서 새벽이 오고 노을이 지도록 하루 종일 어둡기만 한 나의 하루를 밝혀 달라고.

　긴 터널을 지나오는 동안 뭉개졌던 나의 감정들을 정성스레 치료하고, 나도 모르고 있던 감정들을 터뜨려 다시 아물게 해준 주치의 선생님께 항상 고마운 마음을 가지고 있다. 아마도 소리 내서 웃으며 칭찬해 주시던 마지막 날, 선생님은 이미 알아차렸을 것 같다. 내가 이제 오지 않을 수도 있겠다고.

　언젠가 다시 힘들어진다면, 바로 병원으로 달려갈 것이다. 손을 쓸 수 없을 정도로 다친 마음은 병원에서 치료하는 게 맞다. 매번 참 신기할 정도로 다양한 사고로 생명의 위협을 느낄 때마다 의사들은 나를 살려 주었다. 부러지고 곪은 뼈를 낫게 하고, 으깨진 마

　　　　　　　　　차라리 나무가 되고 싶은 새벽엔

음을 다시 빚어 주고, 속으로 곪아가던 것들을 터뜨려 아물게 했다. 하지만 어둠까지 몰아내 주지는 않았다. 어둠을 몰아낼 수 있게 나를 고쳐 주고 용기를 줬지만, 어둠을 몰아내는 것은 내가 해야 하는 일이라는 걸 깨닫게 해 줬을 뿐이다.

어둠을 몰아내는 것은 빛도, 새벽도 아니다.
나의 어둠은 그것을 끝내야겠다고 결심하면서부터 끝나기 시작했다.

아무도 괜찮냐고 묻지 않았다

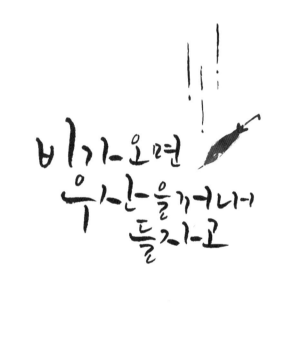

바람길

TV 프로그램에서 화가 날 때는 어떻게 하냐는 질문에 한 스님이 "나는 화를 낼 수 없습니다. 화를 담을 수 있는 그릇이 아니기 때문에 그것을 흘려보내기 때문입니다." 라고 대답했다. 불교문화 특유의 맑은 여백이 빛을 발하는 대답이었다.

공기가 흐를 수 있게 건조물에 설치하는 관로를 바람길이라 한다. 도시 숲 바람길 사이로 바람이 지나다니면서 미세먼지와 오존 농도를 조절해 준다. 아무리 마음을 다스리고 좋은 생각만 하려 안간힘을 써도, 바람길이 필요한 순간이 온다. 누군가 다가와 평온한 일상을 짓뭉개고, 자기 몫의 짐을 떠넘긴다. 때로는 외부와 완벽히 차단했어도 내 안에서 피어난 곪은 생각이 결국 곰팡이가 되어 나를 파괴한다.

스님처럼 화를 흘려보내지 못하고 잘 담는 데만 도가 튼 나는, 가끔 폭발을 기다리는 마그마 같은 분노에 이성을 빼앗기지 않으려면 마음을 다스릴 방법을 찾아야 한다. 아무리 책을 읽고 반성하며 늘 새로운 다짐을 하더라도 싫은 건 싫고, 누군가 열받게 하면 골이 지끈하다. 하루가 멀다 하고 기웃대는 분노 유발자들을 웃으며 맞을 수 없으니, 그것을 막을 방패나 나를 지킬 힘을 기르는 수밖에. 적어도 분노에 잠식당한 괴물이 되는 건 싫으니까.

우리는 모두 알고 있다. 언젠가는 예상치 못한 폭풍우를 만나 어쩌면 뿌리까지 뽑힐 기세로 정신없이 흔들릴 수 있다는 것을. 그렇다고 해서 숨어 있기만 한다면 그 자리에서 단 한 발짝도 앞으로 나아갈 수 없다는 것도. 힘든 일이 닥칠 때마다 피하며 소극적인 방어만 해서는 나 하나 제대로 지켜 내기도 어렵다. 새가 하늘을 날기 위해서는 둥지에서 떨어지는 연습부터 해야 한다.

요즘 인터넷에 MBTI 성격 유형에 관한 글들이 자주 보인다. 문항 수도 많고 꽤 정확한 검사라 신뢰도가 높아 보인다. 학생 때 MBTI 검사를 할 때마다 비슷한 직업군들이 나왔는데, 간격이 너무나 먼 것들이라 신뢰하지 않았다. 늘 발명가, 사업가, 디자이너, 교수, 연구원, 원예가, 작가, 기자, 화가, 과학자 등 너무나 개성이 뚜렷한 직업들이 나란히 모여 있어 웃지 않을 수 없었다.

그것이 굉장히 정확한 검사였다는 것을 이제야 깨닫는다. 저 위에 나온 것들은 모두 내가 좋아하는 것들이다. 원예, 미술, 캘리그래피, 손글씨, 리본 공예, 향초와 향수, 독서, 자격증 취득 공부가 은근슬쩍 내 삶에 들어와 나와 동고동락한 지 꽤 오래였다. 식물에 한창 빠져 있을 때는 흙을 자주 만져서 손끝이 다 상했는데, 보통 그 지경이 되면 정신 차리고 취미 생활을 접지만, 나는 라텍스 장갑을 구매하고 좀 더 전문적인 원예 활동을 이어 갔다.

병원에서는 아픈 곳을 고쳐 주었다. 그 후 웅크린 내 마음을 끌어 안고 재활 치료를 시작하는 것, 두려움을 딛고 일어나는 것, 제로 에 가까워진 감정 면역력을 키우는 것은 온전히 내 몫이있다. 내 마음에 면역을 심어 주기로 결심한 이상, 뭐라도 찾아야 했다. 가끔 은 꽤나 열정적으로 때로는 찬찬히 걸으면서, 비와 바람을 마주하 는 방법을 찾기 시작했다. 사람, 사회 혹은 내 속에서 부는 비바람 이 어차피 마주쳐야만 하는 것이라면, 이제는 도망치지 않고 그것 을 잘 맞고 잘 보낼 수 있는 건강한 사람이 되고 싶으니까.

서른 넘어서까지 자격증 따는 일을 잃지 못했던 터라, 민간 자격 증도 꽤 땄다. 오랜만에 서점에 들러 느릿느릿 책을 구경하다 양손 가득 사 왔고, 옛 전화번호를 찾아 그리운 사람들을 만났다. 지인과 대만에 다녀왔고, 공저 작가를 모집한다는 글이 자꾸만 생각나 충 동적으로 지원했다. 하고 싶은 일이 점점 늘어나고 버킷리스트 목 록이 길어졌다. 예전에 좋아하던 것들이 그리워지기 시작했고, 휴 대 전화 속에 번호가 추가되었다.

하고 싶은 일이 많아질수록 마음속에 찌그러져 있던 에너지들이 다시 살아나는 것 같아 감사하다. 그것들을 찾는 시간이 늘 재미있 고 설   던 건 아니지만, 나를 위한 투자라 아깝지 않았다. 어차피 또다시 만나게 될 시련들은 대부분 내가 아니라 남이 주는 스트레 스일 터, 그때 조금만 흔들리고, 의연하게 넘기려면 내 마음은 단단 하게 단련하며 여러 개의 바람길도 갖춰 놓을 계획이다.

마음에 곰팡이만 가득했던 시간을 보내며 느낀 것은 사람도 건물도 바람이 흘러갈 통로가 필요하다는 것이다. 이유를 알 수 없는 묵직한 우울감이 나를 삼키려 할 때, 미리 찾아 둔 바람길을 열어 그것들을 통쾌하게 밀어내기 위해 우리는 방법을 찾아야 한다. 눈에 보이는 곰팡이도 무섭지만, 보이지 않는 곰팡이는 서서히 나를 삼켜 버린다.

비가 오면 우산을 거내 들자고

아름다운 글씨는
그 사람의 인품을 나타낸다

아글인(아름다운 글씨는 그 사람의 인품을 나타낸다)은 최현미 선생님이 만든 손글씨 모임이다. 선생님은 당신이 글씨를 쓰며 힘든 시절을 극복했기에 사람들에게 손글씨를 가르치며 힐링을 받는다는, 글씨만큼 인품도 아름다운 분이었다. 늘 생각만 하던 손글씨를 제대로 배우게 된 것도 선생님 덕분이고, 정신과 상담이 끝나고 다시 찾아왔던 더 긴 암흑기를 이겨 낼 수 있게 해 준 것도 아글인이었다. 내가 가장 아끼는 바람길이다.

돈을 받는 학원보다 더 높은 퀄리티와 열정으로 가르치고, 매일 숙제 검사까지 하면서 아무것도 요구하지 않는 아글인 수업을 세속에 찌든 나 같은 사람은 이해할 수 없었다. 가끔 무례하고 염치 없는 사람도 있어서 나는 차라리 선생님들이 수강료를 받으면 좋겠다고 생각하기도 했다.

손글씨와 캘리그래피(이하 캘리)를 배우고 싶었던 이유는 필사 때문이었다. 책을 읽다 발견하는 보물 같은 문장을 옮겨 적는 것을

아무도 괜찮냐고 묻지 않았다

좋아하는데, 캘리를 배우면 더 멋지게 표현할 수 있을 거라 생각했다. 그러나 아글인에서 글씨를 배우면서 그동안 내가 큰 착각을 하고 있었다는 것을 깨달았다. 손글씨나 캘리는 예술을 표현하는 수단이 아니라 그 자체로 이미 예술 작품이었다. 같은 글귀라도 표현하는 사람에 따라 그것이 주는 느낌은 천차만별이다.

고등학교 시절, 드럼을 치고 싶어서 교내 밴드부 오디션을 봤다. 드럼 직속 선배님(나보다 두 달 먼저 태어났지만, 정말 좋은 선배였다)이 '지루하겠지만 세 달은 점심, 저녁 시간에 타이어를 치며 손목 스냅을 연습하라'기에 매일매일 타이어를 쳤다. 그 시간이 꽤나 좋아서 메인 드러머가 된 후에도 타이어를 쳤는데, 나중에 그 사실을 안 선배가 깜짝 놀라며 그만하라고 말렸다. 덕분에 나는 실력이 많이 늘어서 외부에서 초청도 받고, 지역 TV프로그램에 출연하기도 했다.

아글인에서도 그랬다. 글씨를 예쁘게 쓰고 싶어서 시작했는데, 연습하면서부터 이미 행복했다. 아무도 이해하지 못하겠지만, 같은 글자를 반복해서 써도 즐거운 나를 보며 나는 손으로 하는 노동을 통해 치유받는 스타일이라 확신했다. 매일 숙제를 찍어서 카페에 올리라기에 마음에 드는 한 장만 찍어 올렸는데, 사람들이 '이렇게 많이 쓰는 게 아니다'며 걱정했다. 그러거나 말거나 나는 너무 신났다.

손글씨를 배우며 특히 좋았던 건, 무언가를 기초부터 새롭게 시작하고 있다는 사실 그리고 글씨를 쓸수록 자연스럽게 힘을 빼고 있는 내 모습이었다. 모두가 서로 존중하며 글씨를 배우고 있었지만, 나는 완전 기초반 새싹 수준이라 아무도 내게 큰 기대를 하지 않았고, 나 또한 그랬다. 도구 욕심만 넘쳐나서 좋다는 필기구를 마구 사들였는데, 그것들을 하나하나 써 보니 볼펜마다 필기감도 다르고, 글씨를 쓰는 방식도 조금씩 달랐다.

그것들을 익히는 동안 팔에 들어간 힘을 자연스럽게 빼고, 글씨를 쓰는 시간에 집중하고 있었다. 요즘도 머리가 복잡하거나 마음이 답답할 땐, 모눈종이에 정자체를 쓰고 있다. 글씨를 쓰는 동안은 아무 생각 없이 글자나 문장에 집중하게 되는데, 그 순간에 느껴지는 안정감은 의외로 중독성이 크다.

글씨에 자신이 없거나 머릿속이 복잡하다면 좋아하는 글귀를 손글씨로 적어보는 것도 한 번쯤 해 볼 만하다. 사정이 생겨 공식적인 아글인 활동은 종료했지만, 유튜브 계정 '미꽃'에는 최현미 선생님이 올려놓은 100여 개의 영상이 남아있어 누구나 영상을 보며 정자체를 배울 수 있다.

글을 읽고 쓰는 것이 마음속 응어리들을 해결해 주는 치유였다면, 손으로 글씨를 쓰는 시간은 엉망진창 뒤섞인 상념들을 잠시나마 잊게 해 주는 위로였다. 연습을 많이 하면 더 예쁜 글씨체를 갖게 되겠지만, 나는 글씨를 쓰면서 이미 행복해지기 때문에 하고 싶을 때, 하고 싶은 만큼만 가볍게 즐기고 있다. 이제 만년필에도 눈이 가기 시작했다.

아글인의 의미를 알고 나면 '나는 악필인데, 그럼 내 인성은 악마

냐'며 웃픈 푸념을 하는 분도 있었다. '아름다운 글씨'가 가리키는 것이 꼭 '명필'은 아닐 것이다. 글씨를 쓰면서 내가 느꼈듯 그 과정에서 이미 마음이 치유되거나 즐거울 수 있고, 한 글자, 한 획에 정성을 담아 써 내려가는 시간만으로도 이미 인생은 충분히 빛난다.

감정은
화수분이 아니다

마음고생했던 순간들을 떠올리면 의외로 내 일이 아닌 경우가 많았다. 의절한 사람들 사이에 껴서 양쪽 하소연을 들어줄 때, 선을 넘는 과도한 관심에 에너지를 쪽쪽 빨릴 때, 본인이 친 사고지만 내가 돕지 않아 생기는 일엔 내 책임도 있다는 협박을 들을 때 어디선가 돌멩이 부서지는 소리가 났다. 의절한 관계에 중립을 지키다 모두와 멀어지거나, 나 모르게 벌인 일에 내 책임도 있다는 신박한 주장을 들을 때마다 나는 먼지가 되어 갔다. 부서진 가루들은 다시 붙거나 회복되지 않는다. 빈틈으로 빠져나간다.

얼마 전 친구가 정신과 상담이 나의 많은 것을 바꾼 것 같다며 안타까워했다. 나는 정신과 상담이 아니라 나를 힘들게 했던 시간들이 문제라고 했다. 그때 병원을 찾아간 것은 탁월한 선택인데. 안 그랬으면 내가 얼마나 힘든지, 내 마음이 얼마나 뭉개졌는지 몰랐을 것이다. 나의 감정은 화수분(재물이 계속 나오는 보물단지)이 아니므로 더 이상의 감정 소모를 멈춰야 한다는 것도.

아무도 괜찮냐고 묻지 않았다

가련한 여주인공처럼 힘든 일만 겪은 듯 쓰고 있지만, 일방적으로 당한 것만은 아니었다. 똑같이 성질도 냈고, 진심은 아니었을지라도 내게 사과한 사람도 있었다. 문제는 감정 소모가 심했다는 것이다. 내 일도 아닌 일로 신경 쓰고 스트레스 받는 게 제일 스트레스였다.

작년에 아끼는 후배 둘이 다투고 남이 되었다. 또 가운데 껴서 그들의 절연(絕緣) 소식을 전해 들었다. 다행히 둘 다 착해서 서로에 대한 험담 없이 그저 다툰 것만 알려 주었다. 지금도 둘이 어떤지 모르지만, 나는 이제 답답하지 않다. 방법을 찾았으니까. 동생들에게 "둘 사이가 어떻게 되든 나는 각자와 예전처럼 지낼 것이고, 중간에서 억지로 화해시키려 애쓰고 싶지 않다. 화해를 도와 달라면 돕겠다. 이 일로 스트레스 받고 싶지 않다."고 했고, 지금도 각자와 잘 지낸다. 각자와 만나고, 그 사실을 숨기지도 않는다.

내가 찾은 방법은 인정과 존중이다. 둘의 절연을 인정하고, 그들의 선택을 존중하는 것. 그리고 나와 무관한 일임을 밝히는 것. 그 친구들처럼 내 뜻도 존중해 주는 사람이라면, 둘이 비 온 뒤에 굳고 또 소나기 맞기를 반복하더라도 이제는 그들과 잘 지낼 수 있을 것 같다. 쓸데없는 감정 소모가 없기 때문이다.

물에 빠진 사람을 구하겠다고 뛰어드는 것은 둘 다 위험해지는 일이다. 생명의 위협을 느끼고 허우적대는 사람은 이미 이성적인 판단이 불가능하다. 차라리 사람을 부르거나 안전한 구조물을 던져 빠져나올 수 있게 도와야 한다. 나도 안전해야 상대를 도울 수 있다.

  사람의 감정은 화수분이 아니다. 요구한다고 끝없이 퍼줄 수 있는 것도 아니고, 준 만큼 생겨나거나 스스로 회복되는 것도 아니다. 정해진 크기나 양은 없지만, 하나의 감정에 지나치게 몰두하다 보면 소중한 무언가를 놓치기도 하며 한꺼번에 너무 많이 써 버리면 바닥을 드러내기도 한다.

  감정 소모가 심한 것들과의 거리를 조절하며 스스로를 보호하는 것도 중요하지만, 내가 크게 신경 쓰지 않아도 될 일은 그대로 두는 연습도 필요하다. 내 일도 아닌데 내가 스트레스 받아야 할 이유는 어디에도 없다.

불편한 면접에 대처하는
쇤네의 자세

아침마다 궁금하지도 않은 소식을 전해 주던 상사는 당시 이슈였던 미투 운동(성범죄 피해를 고발하고자 SNS에 #MeToo 라고 해시태그를 달며 퍼진 문화) 깎아내리기에 심취해 있었다. 처음엔 그러려니 했지만, 매사에 불만이고 앞뒤 꽉 막힌 편협한 발언을 들어 주는 거북한 시간은 또 하나의 업무가 되었다. 스스로는 깨어 있는 지식인이라 생각하는 듯했으나 그냥 자신만의 왜곡된 세계관에 흠뻑 취한 어린이 같았다.

다양한 방식으로 속 터지게 만드는 답정너(답은 정해져 있고 너는 대답만 하면 돼)지인은 끊임없이 공감을 요구했다. 어차피 자기 마음대로 할 거면서 듣기만 해도 진절머리 나는 신세 한탄, 주변인 험담, 남의 연애사 그리고 한참 듣다 보면 결국은 자기 자랑인 것들을 길게 늘어놓았다. 다 죽어 가는 목소리에 차마 끊지도 못하고, 영혼까지 긁어모아 건넨 나의 조언이 조목조목 반박 당할 때마다 혹시 조상(주몽이지만) 중 누군가 나라를 팔아먹어서 내가 이런

비가 오면 우산을 거내 들자고

식으로 벌을 받는 건지 진지하게 고민했다.

세상에는 너무나 많은 불법 면접관들이 있다. 나는 이력서를 낸 적이 없는데, 계속 면접을 당하고 있다. 마음속에 이미 모범 답안을 정해 놓은 면접관에겐 눈치껏 원하는 답안을 제출해야 한다. 잘못 걸려들면 계속 대답 자판기 노릇을 해야만 한다. 매번 부자연스러운 미소로 열심히 대답했지만, 언젠가부터 머릿속에 물음표가 생겼다.

'이걸 대체 왜 들어 주고 있어야 하지?'

듣는 사람을 묘하게 불편하게 만드는 면접관들의 문제는 면접을 볼 생각이 없는 사람을 붙잡고 반응과 공감을 강요한다는 데 있다. 내가 편해서라거나 이것도 애정이라는 그럴듯한 이유로 포장했지만, 결국은 무례하기 짝이 없는 저급한 호기심을 채우거나 본인 감정 쓰레기에 불과한 것들을 강제 주입하는 일 그 이상도 이하도 아니다.

오는 말이 고와야 가는 말도 곱게 하고 싶은 법이다. 이미 정도를 벗어난 질문에 나만 고울 필요가 있을지도 의문이었다. Yes와 NO 말고, 무응답도 나의 대답이니까. 책에는 완벽하지만 실행 불가한 이론적인 방법들이 많았다. 우아한 거절, 단호한 제스처로 상대방의 행동에 제동을 거는 건 상상만으로도 사이다를 마신 듯하지만, 인생은 실전이었다. 상사를 우아하게 꾸짖을 수도 없고, 내가 어떤 표정을 짓든 이미 결승선만 보고 달리는 경주마에겐 무용지물이었다.

그렇다고 계속 들어 주기는 더 싫었다. 어차피 나를 바보 취급 하는 사람이라면, 그냥 바보가 되기로 했다. '감히 쇤네 따위가 고귀한 말씀을 이해하는 것은 무리'라는 마음으로 '아, 오, 아이고, 저런'만 반복했다.

"근데 당한 사람도 문제가 없는 건 아니잖아?"하면 "아.", 누군가를 험담하면 "아이고, 저런." 하고 입만 웃었다. 저렇게 아무나 비방하는 사람은 분명히 뒤에서 나도 욕할 것이다. 가끔 자신의 정치적 고견을 설파하고 내 의견을 물으면 '생각해 본 적 없다'거나 '정말 한번 진지하게 생각해 봐야겠다'며 지금부터 당장 생각에 잠기는 척, 귀를 닫았다.

답정너에게는 원하는 대답을 해 주지 않고, 못 알아들은 척 똑같이 질문해댔다. 어떻게 하면 좋겠냐며 공감 지옥의 시작을 알리면 당신은 어떻게 하고 싶은지, 왜 그렇게 생각하는지 물으며 마이크를 넘겼다. 정말로 하나도 궁금하지 않은 남의 연애사나 그 뒷이야기를 꺼내려는 조짐이 보이면 "아, 지난번에 말한?"하며 이미 들었던 이야기임을 강조했다. 굴하지 않고 이야기를 시작하면 "남 연애 얘긴 내가 뭐라 할 수도 없고 들을수록 머리만 아프지 않나?"하며 반문했고, 본인 연애사는 '아, 오, 아이고, 저런'을 반복했다.

내가 생각해도 몇 년 간 큰일들을 지속적으로 겪으면서 내가 흑화(黑化)된 건 맞는 것 같다. 예전에도 그다지 착하고 순둥한 이미지는 아니었지만, 요즘은 무례하지 않은 선에서 내가 싫은 건 다 거절한다. 그게 부탁이나 제안이 아니더라도.

비가 오면 우산을 거내 들자고

며칠 전 친구가 그런 말을 했다. 우리는 친한데도 정말 다른 것 같다고. 나는 정말 힘든 일도 어른스럽게 혼자 감당해서 제일 친한 본인조차 몰랐는데, 자기는 작년에 왜 그렇게까지 툭하면 내게 전화해 미주알고주알 별 이야기를 다 했는지 모르겠다고. 각자의 삶의 무게는 결국 스스로 감당해야 할 일들인데, 본인 이야기 들어 주느라 고생했겠다고. 그래서 본인이 힘든 시기엔 일부러 연락을 안 하고 참았다고.

생각해 보니 정말 친구가 올해는 연락을 덜했다. 아무리 친해도 힘든 시기까지 같을 필요는 없는데, 우연이겠지만, 내가 정말 좋아하는 친구들이 비슷한 시기에 각자의 암흑기를 보냈다. 그리고 그것을 대처하는 모습은 제각기 달랐다. 친구가 좋게 봐서 그렇지 내 방식도 어른스럽진 못했다. 남에게 털어놓지 않았을 뿐, 건강하게 대처했다면 정신과 상담까지 길게 받진 않았을 것이다.

한 가지 확실한 것은 우리가 그런 일들을 겪으면서 생각이 많이 깊어지고 있다는 것이다. 좋은 일은 아니었지만, 그걸 제대로 마무리하면서 배운 것들이 많으니까. 나도 친구와 같은 생각이다. 각자의 삶은 스스로 감당하는 게 맞다. 어떻게 보면 매번 답을 정해 놓고 무의미한 질문을 던지는 사람들도 본인의 무게를 감당하기 힘들어서 타인의 공감으로 마음의 안정을 찾는 것인지도 모르겠다. 방법이 이기적이어서 그렇지.

언젠가부터 '공감 능력'이 중요한 매력으로 떠오르면서, 오히려 그것을 악용하는 사람도 많은 것 같아 씁쓸하다. 무례하고 이기적이며 필터링을 거치지 않은 말에는 공감해 줘야 할 의무가 없다. 공감은 의무가 아닌 선택이기도 하고, 애초에 공감을 강요한다는 것 자체가 스스로도 본인의 말이 공감 받지 못할 헛소리임을 알고 있다는 말이다.

그래서 더 좋은 방법을 찾기 전까진 불편한 면접에는 쉰네 마인드로 대처할 생각이다. 정말 타인의 의견이 궁금하거나 조언이 필요해서 묻는 거라면, 진지하게 듣고 결정의 순간에 참고하면 된다. 굳이 물어 놓고 그 자리에서 반박하거나 설득하고 훈계하려는 행동만 참으면 쉰네도 들어 줄 용의가 있다.

크나큰 행복도
한 걸음부터

쉬지 않고 열심히 달려오는 동안 내가 잊고 있던 것이 있었다. '오늘'의 가치 그리고 일상의 소중함. 열심히 살아온 시간들을 후회하지는 않지만, 일상에서 느끼는 작은 위로와 즐거움들을 누리지 못한 것은 아쉽다. 한창 업무 스트레스가 하늘을 찌르던 시절, 잠깐 쉴 생각보다는 차라리 더 바쁘게 일하며 잊겠다는 정신 나간 생각을 했다. 하얗게 불태우고 난 후 내게 남은 것은 방전된 나와 그런 나를 기다려 준 허무의 터널이었다.

어제와 다를 바 없는 오늘과 내일을 아무렇게나 살아가던 시간은 거대한 풍선 속에 가만히 앉아 있는 일이었다. 시간이 흘러도 나는 가만히 앉아 있었고, 부피만 커져 가는 풍선 속엔 무기력한 공허함만이 내려앉았다. 이중 창문을 뚫고 들어오는 노을을 보고 예쁘다고 생각하던 날, 결심했다. 오늘을 되찾기로.

의지마저 방전된 무기력한 사람에게 가장 힘든 것은 스스로 일어나는 것이었다. 갓 태어난 아기가 첫 걸음마를 뗄 때 온 가족이 환

아무도 괜찮냐고 묻지 않았다

호하는 것은 그 한 걸음 속에 두려움을 이겨 낸 용기가 있기 때문일 것이다. 빼앗은 사람은 없지만 빼앗긴지 오래된 오늘을 찾고 싶었다. 엄청난 행복은 기대하지도 않았다. 그저 작은 것에서 소소한 즐거움부터 찾다 보면 언젠가 공허한 풍선에서 나올 수 있기만을 바랐다. 정말 작은 것들에서 즐거움을 찾기 시작했다.

#현관에서 쏟아져 내리는 별, 풍경(風磬)

엄마랑 대만 여행을 가면 항상 이란역 지미공원에 들른다. 아기자기한 소품의 나라답게 기념품점에는 자석, 볼펜, 장식품 등 자그마한 것들이 가득하다. 그날은 아주 더웠는데, 밖에서 선선한 바람이 불어오자 자그마한 별들이 짤랑거리며 쏟아지는 소리가 났다. 대만의 풍경, 이건 사야 하는 소리였다. 우리는 홀린 듯 쓸어 담았다.

한때 공포의 대상이었던 현관에 달면 문을 열 때마다 별들이 쏟아지는 소리에 오히려 행복해지지 않을까 싶어 서랍 속에 아껴 두었던 풍경을 꺼냈다. 지인들에게 선물하고 정작 나는 모셔 두기만 했는데, 정말 큰맘 먹은 김에 바로 걸었다. 그리고 요즘엔 바람이 불면, 괜히 한번 현관을 열었다 닫는다. 풍경 소리를 들을 때마다 마음은 대만 여행자가 된다.

#다양한 향기로 위로받는 시간

평범한 일상을 보내며 내 손으로 내 발을 씻을 수 있음에 감격하기란 쉽지 않은 일이다. 나도 교통사고로 누워만 지내다 한 달 만

비가 오면 우산을 거내 들자고

에 머리를 감고, 몇 달 만에 허리를 숙여 발을 씻지 않았다면, 그게 얼마나 감사한 일인지 아마 죽을 때까지 깨닫지 못했을 것이다.

발을 닦다가 생각했다. 얼굴은 피부가 상할까 거품도 살살 문질러 가며 해면으로 닦아 내면서, 왜 유독 발은 홀대했을까. 하루 종일 나를 지탱하며 삶의 무게를 견디느라 고생하는 건 정작 발인데. 어쩌면 폭풍이 끝난 후에 찾아온 공허함은 그동안 눈에 띄지 않는 소중한 것들을 알아주지 못한 나에게 내가 주는 벌인지도 모르겠다고 생각했다.

그날부터 발도 몽글몽글한 거품으로 정성스레 마사지하고 찬찬히 헹군다. 내친김에 다양한 향기의 목욕용품들을 동시 개봉했다. 그날그날 기분에 따라 오늘은 어떤 향기로 씻을지 고민하는 시간이 이제는 꽤 소소한 힐링이다. 어차피 금방 날아갈 향이지만, 씻는 동안 잠시 느끼는 즐거움도 꽤 크다. 고급 마사지 숍 족욕 서비스 같기도 하고, 거품으로 문지르는 김에 고생한 내 발도 주물러 주면 내가 나를 위로해 주는 것 같아 위안이 된다.

#차 한 잔, 빗소리 한 스푼

비 오는 날은 텐션이 낮아진다. 눅눅하고 묵직한 공기가 답답해 외출도 않는다. 언젠가부터 비 오는 소리를 들으면 창문을 열고 가만히 듣게 된다. 바닥에 빗물 떨어지는 소리, 빗길을 가르는 자동차 소리가 들리면 마음속에도 비가 내린다. 시원한 물소리에 청량한 기분마저 든다. 이런 날은 한 번씩 뜨거운 차를 마신다.

비 오는 날은 레몬이나 라임차를 추천한다. 싱싱한 풀 냄새가 섞인 레몬 향에 숲속에 있는 기분이 든다. 가끔 밖으로 나가 빗속을 걸어 보고 싶은 마음이 들기도 한다.

#SNS에서 슬기로운 시간 낭비하기

SNS를 시간 낭비에 자존감 도둑이라고 하지만, 잘만 활용하면 슬기롭게 시간을 낭비할 수 있다. 인스타그램 속에 세상이 들어 있다. 해시태그 검색 한 번이면 누군가의 여행에 동행할 수 있고, 알레르기 때문에 직접 만질 수 없는 고양이들을 고화질로 볼 수 있다. 방 안에 누워 푸른 산을 볼 수 있고, 피아노 연주를 감상한다. 좋은 글을 무료로 감상할 수 있고, 심지어 작가들도 그 안에 있다.

요즘같이 여행 한번 계획하기도 어려운 시국이라면 온라인 세상을 지혜롭게 활용하는 것도 답답한 마음을 해소하기엔 좋은 방법일 수 있다. 행복한 사람들의 일상을 보는 것이 힘들다면 추천하지 않지만, 좋은 글이나 작품들만 보는 계정을 파는 것도 좋다. 나는 글을 쓰게 된 것도, 사람들을 다시 만나게 된 것도 SNS 덕분이다.

#내 집에 식물을 들인다는 것은

이파리들 특유의 냄새를 좋아한다. 나무도 좋고, 고스티와 염좌 그리고 허브를 좋아해 베란다에 작은 화분이 열 개가 넘는다. 잘 자란 다육이 한 줄기는 한 송이 꽃처럼, 한 그루 나무처럼 싱그럽다. 허브를 살살 쓰다듬으면 기분 좋게 쓴 내를 내쉰다. 요즘은 본체에서 떨어지고도 죽지 않고 살아남은 잎에 자꾸만 마음이 간다. 그 작은 이파리가 살아 보겠다고 솜털 같은 뿌리들을 있는 힘껏 펼처 흙을 찾는 모습이 어딘지 짠하다.

얼마 전 사랑하는 홍부장님께 공중 식물 디시디아를 선물 받았다. 예쁘게 늘어진 디시디아만큼이나 한 땀 한 땀 소중하게 만든 수제 그물도 예뻐서 볼 때마다 한 번씩 행복해진다. 사는 게 허무하고 무의미하게 느껴질 땐 작은 식물을 집에 들이는 것을 추천하고 싶다. 자그마한 것이 햇빛과 물에 따라 그 모습을 달리하고, 가을엔 단풍을 보여 주기도 하는데 나는 그것을 보기만 해도 살아 있어서 참 좋았다.

얼마 전, 지인에게 요즘 평온해서 꽤 행복하다고 말했다. 지인은 사람들도 욕심만 버리면 나처럼 소소한 행복들을 누릴 수 있을 거라며 보기 좋다고 했다. 반은 맞고, 반은 틀렸다. 소소한 행복을 누리는 건 맞지만, 욕심을 버리진 않았다.

긍정의 꽃을 피우고자 안달한다고 행복이 피어나진 않는다. 그러나 작은 기쁨을 누릴 줄 알아야 더 큰 행복이 찾아왔을 때 기쁘게 만끽할 수 있다고 믿는다. 지친 마음을 제때 알아주고, 온전히 위로할 수 있어야 그 뒤에 찾아올 기쁨도 온전히 내 것이 될 테니까. 나는 지금 더 크고 짜릿한 행복을 기다리며 소소한 즐거움으로 연습을 하고 있는 중이다. 숨을 고르며 달릴 준비를 하고 있는 중이다.

그럼에도 불구하고 사람,
이이제이

이이제이(以夷制夷)는 옛날의 중국이 사방의 오랑캐들을 제압하기 위해 오랑캐로써 오랑캐를 다스리던 전략에서 온 말이다. 사람을 이용한다는 것은 불쾌한 일이지만, 사람에게서 얻었던 마음의 병을 사람들을 통해 치유받는 것도 사실이다. 사람은 특별한 순간을 함께 한 이를 특별한 사람으로 기억한다고 한다. 내게도 그런 사람들이 있다.

샐리는 캐나다에서 자신의 인생을 다양하게 채워 나가고 있는 멋진 사람이었다. 그때 나는 글을 쓰기 시작한 지 얼마 안 됐고, SNS에서 우연히 본 캐나다 풍경이 좋았다. 특히 빗방울을 찍은 사진이 마음에 들어 멋지다고 댓글을 달았는데 "제 사진 좋아하시면 드릴까요?" 하고 댓글이 달렸다. 나는 고맙다고 했고, 그녀가 직접 찍은 수십 장의 사진을 조건 없이 선물 받았다.

우리는 서로에 대해 묻지 않고 가끔 시시한 이야기들을 주고받았는데, 그 대화가 엄청난 위로가 되었다. 어차피 평생 만날 수 없을 거라는 생각에 부담 없이 서로의 꿈을 물었고, 그래서인지 더 진솔한 대화를 나누었다. 언젠가 책을 쓰고 싶다는 공통의 꿈을 발견했다. 훗날 합동 북토크를 열기로 약속했고, 얼마 후 나는 작가가 되었다. 우연히 잠시 귀국한 샐리는 태양이 뜨거운 여름, 내 출판기념회에 와서 선물과 축복을 잔뜩 퍼붓고는 다시 캐나다로 돌아갔다.

샐리는 나를 만난 것이 기적 같다고 했다. 우리가 처음 대화했던 날도, 가끔 내가 먼저 인사하던 날도 굉장히 힘들어서 그냥 다 내려놓고 싶은 날이었는데 그때마다 말을 거는 내가 선물처럼 느껴졌다고 했다.

샐리는 나를 기적이라 했지만, 나에게 샐리는 신호등이었다. 사람에 대한 실망으로 고통받던 시절이었는데, 그 친구의 사진을 보고 괜히 위로받는 기분이 들었다. 게다가 선뜻 본인이 찍은 미공개 사진까지 조건 없이 주는 샐리 덕분에 먼지처럼 바스라지던 인류애가 되살아났다. 언젠가 샐리의 책이 세상에 나오는 날, 나도 세상에서 제일 기쁘게 축하해 주고 싶다.

사기나 해킹 때문에 외국인 SNS 계정은 팔로우 하지 않는데, 언젠가부터 제법 유창하지만 외국인 티를 물씬 풍기는 한국어로 내 계정에 댓글을 다는 사람이 있었다. 프로필 사진은 외국인 의사. 꽤 오랜 시간 꾸준히 댓글을 달기에 그 사람 계정에 들어가 게시물을 하나씩 읽어 보니, 사기꾼은 아니었다. 한국 여행의 추억을 간직한 채, 혼자서 한국어를 공부하는 한국어 도깨비. 터키의 진짜 의료인, 에브렌.

나도 외국어 전공자이면서 외국인이라는 사실만으로 범죄자 취급을 한 게 미안해 첫 책이 나온 날 메시지를 보냈다. 한국어를 사랑하는 친구에게 내 책을 선물하고 싶으니 주소를 알려 달라고. 당황한 에브렌은 "나 터키인데요?" 했다. 그렇게 친구가 되어 가끔 메신저로 대화했는데, 부엉이처럼 살고 있어서 시차(대한민국이 6시간 빠름)는 문제 되지 않았다.

 나는 여행지에서 사 온 자석을 모으고 있다. 자석이 현관문의 반을 넘게 채운 시점에서 코로나가 터져 멈췄지만, 내게는 자석 수집도 그 후 장식도 큰 기쁨이다. 작년 여름, 에브렌은 3주간의 한국 여행을 계획하며 혹시 받고 싶은 것이 있냐고 물었고, 나는 숨도 안 쉬고 터키 자석을 부탁했다. 그리고 에브렌은 약속을 어겼다. 자석이 받고 싶은 나에게 터키 자석과 전통 찻잔세트(무거운), 비누와 목욕용품, 스카프, 직접 만든 방향제, 커피가 테트리스처럼 꽉 찬 여행 가방 수준의 선물 꾸러미를 들고 왔다.

 우리는 부산에서 만나 사랑스러운 명미 언니에게 아주 맛있는 고급 뷔페를 대접받았다. 내가 뽑은 똑같은 인형을 하나씩 나눠 갖고, 집으로 돌아올 땐 에브렌과 명미 언니가 준 선물들을 양손 가득 들고 돌아왔다. 한국 여행 끝자락에 춘천 닭갈비를 먹고 싶다는 귀여운 에브렌을 초대했다. 한국의 정(情)을 느껴 보라고 나도 잔뜩 눌러 담은 진짜 여행 가방을 들고 나갔는데, 인복을 타고난 에브렌은 춘천행 전철에서 새로운 인연을 데려왔다.

 쨍한 날씨처럼 밝은 미나 언니는 에브렌에게 본인 성을 따서 '이우주'라는 예쁜 한국 이름을 지어 줬고, 그날 우리에게 맛있는 점심

비가 오면 우산을 거내 들자고

을 사 줬다. 그리고 에브렌은 우리 둘을 터키로 초대했다.

　글을 쓰며 내게 생긴 변화 중 하나는 사람에 대한 거부감이 많이 줄어든 것이다. 예전 같았으면 에브렌뿐만 아니라 명미 언니, 미나 언니 그리고 샐리를 만나는 일도 없었을 텐데, 나는 이 사람들과 헤어질 때 포옹을 했다. 스킨십을 정말 싫어하는 나에겐 악수가 친근감의 최대 표현이었다.

　글을 쓰고 새로운 사람을 만나면서 그 사람들의 이야기를 듣는 것이 즐거워졌다. 그게 내가 이 사람들에게서 얻은 가장 큰 치유다. 행복의 종류는 다양하지만, 사람들 속에 있을 때만 얻을 수 있는 행복이 있다.

편견이
가리는 것

 어디선가 남자는 태어나 세 번 운다는 말을 들은 것도 같고, 나보다 어린 남동생들조차도 성인이 된 후 우는 걸 본 적이 없었기 때문에 막연하게 남자는 울지 않는가 보다고 생각했다. 다 커서 누나 앞에서 굳이 우는 것도 이상하지만, 가끔 남동생이 나보다 더 어른스럽다는 생각도 했다. 꼬맹이 때도 나는 산에 올라가는 것이 힘들어 될 수 있으면 명절 아침에 집에 남으려고 애를 썼는데, 동생들은 꽤 의젓하게 음식들을 챙겨서 앞장섰다.

 병원에 누워 있는 엄마를 보러 가서도 동생들은 딱 한 번 울고는 거의 울지 않았다. 일반 병실로 옮기고 거의 24시간 내내 병원에 있으면서도 힘들다는 말 한 번 안 했다. 마침 본인이 일을 쉬고 있어서 괜찮다고 했지만, 나였다면 중간에 쓰러지거나 그전에 지쳤을 텐데 동생은 끝까지 해냈다.

 그래서인지 병원에 실려 갈 때마다 보호자로 남동생 이름을 댔다. 젊고, 남자니까 덜 놀라고 덜 힘들 거라는 지극히 이기적인 생각으로.

 중환자실 앞에서는 대부분이 운다. 사고를 당했든 병세가 악화되었든, 여기에 누워있다는 자체가 위독한 상황이기 때문에 희망을 품는 가족들은 거의 없다. 그 짧은 면회도 거의 울다가 나오는 것이 대부분이다. 찾아오는 사람들도 이미 울면서 오거나, 나와서 한참 울다 간다. 꽤 오래 누워 계시던 환자의 보호자들과 자주 마주쳐서 대충 그 가족 구성원을 파악하게 되었을 때쯤, 그 댁 할머니가 결국 돌아가셨다.

면회를 기다리던 자식들이 울어도 뒷짐 지고 창밖만 내다보던 할아버지도 그날은 울었다. 엄마를 기다리는 동안 우는 사람들은 지겹도록 봐서 나름 익숙해졌다고 생각했는데, 그 할아버지가 울던 모습은 지금 생각해도 먹먹하다. 소리 지르며 울고, 두 손으로 얼굴을 가리고 울고, 뒤돌아서 벽을 보며 우는 사람들 가운데 차분히 손수건을 꺼내 두 눈만 꾹 누르고 있는 할아버지의 모습이 제일 슬퍼 보였다.

우리 작은 엄마는 매년 명절, 서울 집에서 손수 음식을 만들어 오면서 닭을 넉넉하게 준비해 오신다. 우리 어릴 때부터 튀겨 주던 치킨이 이제 명절 음식이 되었다. 그날도 명절 음식을 준비해 놓고 친척들이 거실에 둘러앉아 치킨을 먹고 있었다. 술을 즐기지 않는 나도 '조카들이 이렇게 커서 맥주 한잔 하는 날도 온다'며 웃는 작은 엄마 말씀에 한 잔 받았다.

화기애애한 분위기 속에 우리 어릴 때 이야기, 둘리 부부 귀여운 이야기, 시간이 참 빠르다는 이야기가 오가면서 엄마 아팠을 때 이야기도 나왔다. 다들 고생 많았다며 서로 격려하는 분위기였는데,

남동생이 웃으면서 눈을 비볐다. '다 큰 줄 알았더니 여태 애기'라며 놀리던 엄마도 울고, 알게 모르게 동생한테 짐을 지운 게 내심 미안했던 큰누나도 울고, 그때 형님 돌아가시는 줄 알았다며 작은 엄마도 울었다. 그렇게 울다가 웃다가 이상한 저녁을 보냈다.

그간의 일들을 되돌아보면 내가 그동안 수많은 착각과 편견 속에 살고 있었다는 생각이 든다. 꽤 반듯하고 괜찮은 줄 알았는데 아닌 사람이 많았고, 인간적이고 따뜻한 줄 알았는데 결국 실망스러운 뒷모습을 보여 주기도 했다. 성인이면 다들 성숙한 인격을 갖추게 될 거란 것도, 남자들은 잘 울지 않는다거나 감정의 동요가 적을 것이라는 것도 나의 편견이었다.

어쩌면 나의 착각과 편견은 사람들이 아니라 내가 만들어 낸 것일 수도 있다. 어떤 대상에 대해 내가 기대하고 있는 것들을 투영하고, 그 가상의 모습이 실제이기를 바라는 마음이 편견이 되어 내 눈을 가렸는지도 모르는 일이다.

사람마다 표현 방법이 다를 뿐, 절대 울지 않는 사람은 없다. 어른도 울고, 남자도 운다. 누가 정했는지는 알 수 없지만, 남자는 울면 안 된다거나 부끄러운 일이라는 편견들이 남자들을 편히 울지도 못하게 하는지도 모르겠다. 부끄럽지만 나도 그중 하나였고.

앞으로도 갈 길이 멀지만, 이제는 눈에 보이는 것들을 있는 그대로 바라보려 노력하는 중이다. 착각이나 편견이 내 눈을 가리지 않는 한 적어도 헛된 기대나 오해로 인해 실망하거나 반대로 누군가에게 실망을 안기는 미안한 일은 줄어들 테니까.

나이테 시를
짓는 시간

　나의 필명은 첫째나무다. 이름 대신 필명으로만 활동하고 싶었는데, 나의 뿌리인 가족들이 서운할 것 같아 우리 가족의 첫째나무를 떠올렸다. 나무를 좋아하기도 하고.

　작년 여름, 공저 시집《따뜻한 바람에도 가슴이 시리다》를 사준 분들께 특별한 선물을 하고 싶었다. 그렇게 탄생한 게 바로 나이테 시(그 사람의 나이테가 담긴 이름 시)다. 이름 시도 특별하지만, 그 사람의 인생이 담긴 시를 지어 준다는 일은 나에게도 뜻깊은 일이고, 받는 사람도 기쁠 거라 생각했다.

　솔직히는 하루 만에 굉장히 후회했다. 누군가의 인생을 담기 위해서는 그 사람의 인생을 파악해야 했고, 그것을 이름 글자에 맞게 시로 쓴다는 건 3분 요리처럼 뚝딱 나오는 게 아니었다. 아무 단어나 넣을 수도 없고, 단어 하나, 글자 하나까지 병적으로 확인하는 나로선 하루에 하나도 버거웠다. 어휘력을 총동원하고 사전까지 찾아가며 영혼을 갈아 넣어 하루걸러 하나씩 만들고 나니, 책을 쓸

　　　　　　　　　　　아무도 괜찮냐고 묻지 않았다

때보다 더 힘들었다. 30개가 더 남아 있었다.

그때까진 내가 그분들께 작지만 특별한 선물을 드렸다고 생각했다. 받은 분들이 굉장히 값진 선물이라며 고마워했기 때문이다. 사실 대단한 작가도 아니고 일필휘지로 써 내려간 명작도 아닌데, 작은 정성에 크게 기뻐해 주는 분들을 보며 내가 더 큰 감동을 받았다. 내가 쓴 글을 읽고 공감 혹은 위로를 받는다는 사람을 만나는 것은 글을 쓰면서 받게 되는 가장 큰 감격이자 응원이다.

이벤트 신청은 마감했는데, 어떤 분이 조심스럽게 아직 신청해도 되는지 물었다. 아이디도 하필 '린나무'라 나무 덕후의 마음을 뒤흔들었고, 말투에서 이미 좋은 분이라는 느낌이 들어 그렇다고 했다. 사연은 없고 대신 원하는 사진에 넣어 달라며 '소울트리'라는 단어를 던져 주고는 홀연히 사라졌다.

다음날 열심히 고민하며 구상하고 있는데, 다시 나타난 린나무님은 굉장히 미안해하며 혹시 단어를 '연인'으로 바꿔 줄 수 있는지 물었다. 엄청난 작품도 아닌데 계속 고민했을 그 마음을 생각하니 감사하기도 하고, 왠지 찡해서 그러겠다고 대답했다. 그래도 평소 좋아하는 단어라도 넣어서 써 드리고 싶어 그분 계정을 둘러보다가 말 그대로 빵 터졌다.

나는 젝스키스 은지원의 오랜 팬이다. 열정적으로 서포트하는 팬은 아니지만, 그가 나오는 프로그램을 보고 음원을 결제하며 앞으로도 행복하게 지내기를 응원하는 팬이다. 린나무님의 '소울트리'는 그분의 나이테가 아니라 가수 박효신의 팬클럽 이름이었다. 그리고 놀라운 사실을 발견했다. 내 마음을 움직이던 '나무'나 '트리'는 소울트리 회원들이 본인 아이디에 붙이는 고정닉(공통으로 사용하는 문구나 단어) 같은 존재였다.

호랑이를 잡기 위해 호랑이 굴에 가는 심정으로 박효신에 대해 검색하기 시작했다. 그렇게 파도를 타다가 정신 차려 보니, 소울트리에서 회원가입 축하 메시지가 왔다. 내가 소울트리에 가입까지 한 것은 순전히 린나무님 때문이다. 과격하고 조금은 기괴하기까지 한 아이돌 팬클럽 문화만 보다가 이렇게 순수하게 연예인을 좋아하며 삶의 소소한 기쁨으로 즐기는 분들을 본지가 얼마 만인지.

얼마 후 '쉬어가는 여행'님으로부터 박효신의 앨범 선물이 도착했다. 이분들은 나눠주는 걸 즐기는 듯하다.

돌아보면 나이테 시를 쓰면서 가장 큰 선물을 받은 사람은 바로 나다. 끊임없이 나를 괴롭히던 것은 모두 누군가의 이야기들이었다. 사과도 않고 이해만 바라는 사람들을 겪으며 나는 '하소연하는 사람'이라면 몸에 두드러기가 날 정도로 경멸하게 되었다. 하지만 나이테 시를 쓰기 위해서는 누군가의 인생을 듣고, 좋아하는 단어를 물어야만 했다. 내가 만든 규칙이기에 어떻게든 그 사람에게 어울리는 단어를 찾아 주고 싶어 머리를 쥐어짜는 동안 신기하게도 나는 누군가의 이야기에 자연스럽게 귀 기울이고 있었다. 인간에 대한 경계를 서서히 풀게 된 것이다.

나이테 시를 지으면서 오히려 내 마음도 치유받았기에 마지막 장에 지금까지 선물한 나이테 시들을 모두 싣고 싶었지만, 아쉬움은 다음으로 미루고, 일단 내 SNS에 공개했던 작품 중 일부만 실었다. 찾아보니 50여 편의 나이테 시를 선물했다. 그리고 앞으로도 종종 나이테 시를 선물할까 한다. 언젠가 그것들을 모아 책으로 만들고 싶은 마음도 있다.

쓰는 순간은 또다시 머리를 쥐어뜯겠지만, 누군가의 인생이 한 편의 시가 된다는 건 선물 받을 사람뿐만 아니라 내게도 비온 뒤 무지개를 보는 것만큼이나 빛나는 일이다.

자기 연민의
늪

이유를 알 수 없는 불안이 슬며시 다가와 발걸음을 멈추게 할 때, 온갖 걱정스러운 일들이 모두 일어나는 최악의 상황을 가정하고 나도 그 안으로 들어간다. 어떻게 해결할지 골몰히 생각하고 최선책과 차선책까지 정하고 나면 어느 정도 해결할 수 있을 것 같아 마음이 놓인다. 그 후 불안했던 마음을 그곳에 두고, 나는 한결 가벼운 마음으로 문을 열고 나온다.

일어나지 않을 일들이 불현듯 불안해질 때, 내가 진정하는 방법이다. 사람이 자기감정을 스스로 조절할 수 있다면 너무나 좋겠지만, 인간의 뇌는 그렇게 간단하지 않았다. 힘든 사람에게 '힘내'라거나 불안감이 치솟는 사람에게 '다 잘 될 거야' 하는 말은 도움이 되지 않는다. 감정을 누르기만 하다 큰코다쳤던 사람이라, 감정이 다치지 않으면서 진정할 수 있는 방법을 찾기 위해 다양한 시도 끝에 얻은 나름의 결론이다.

인생 암흑기 후유증을 말하자면 끝도 없이 줄줄 나오겠지만, 그중

아무도 괜찮냐고 묻지 않았다

가장 해결하고 싶은 것이 걱정이었다. 사소한 것에도 지나치게 의미를 부여하거나 벌어지지도 않은 일을 상상하며 일찌감치 걱정부터 하느라 가만히 있어도 너무 피곤했다. 이전에는 내 감정들을 너무 외면하고 방치해서 문제였는데, 이제는 과잉보호를 하느라 고단했다. 인생 참 매력 넘친다.

가끔 다른 사람들의 서평을 읽는다. 책도 좋지만, 그 책을 읽은 사람의 다양한 생각을 읽다 보면 내가 놓친 부분을 발견하기도 하고, 그들과 생각을 공유하는 것 같아 또 다른 재미가 있다. 어느 날, '도움을 얻고 싶어 읽었는데, 자기 연민에 빠져 징징대는 글에 마음만 더 심란해졌다'는 짤막한 감상에 마음이 거북해졌다.

듣는 사람마다 놀랄 정도면 내가 힘든 일을 겪은 것 같긴 한데, 유독 나만 그 뒷이야기가 없었다. 겨울이 녹으면 새싹이 움트고, 장마가 그치면 벼는 몰라보게 자라 있는데, 나만 여전히 그 자리였다. 나야말로 자기 연민에 빠져 힘들었던 과거를 핑계 삼아 이것도 무섭고, 저것도 걱정되니 힘들었던 나는 아무것도 할 수 없다는 결론부터 내린 건 아닌지 고민되기 시작했다.

인정하고 싶진 않지만, 남의 책에 대한 서평에 내가 거북해진 건 아마도 정곡을 찔렸기 때문일 것이다. 당시 내 상황은 자기 연민과 죄책감의 콜라보로 아무것도 시도할 엄두가 나지 않는 졸보 그 이상도 이하도 아니었으니까. 겁이야 원래 많았지만, 긴 암흑기는 내 감정을 과보호하게 만들어 일어나지도 않은 일들을 상상까지 해가며 두려워하게 만들어 버렸다. 이전보다 나아지긴 했지만 그 또

한 정상적인 상태는 절대 아니었다.

　나를 사랑하는 것과 자기 연민은 방향이 다르다. 힘들었던 나의 시간과 다친 마음을 보듬고, 충분히 위로한 후에야 비로소 마음을 추스르고 그다음으로 나아갈 수 있다. 나는 그 과정을 통해 조금씩 성숙해진다고 믿는다. 그러나 자기 연민에 빠져 버리면 힘들었던 시간에 국한되어 아무것도 하지 않는 나를 합리화할 뿐, 앞으로 나아갈 수 없다.

　그래서 나는 불안한 마음이 들 때, 나를 보듬고 나아가는 것을 택했다. 내 마음을 충분히 존중하되, 나의 아픔이 핑계가 되어 앞으로 나아가려는 나를 방해하지 않도록 절충안을 찾은 것이다. 나를 사랑하는 것과 나를 가로막는 것들의 경계를 명확히 구분 짓는 것이 어쩌면 진정으로 나를 사랑하는 방법일지도 모르겠다.

　　　　　　　　　　　　　　아무도 괜찮냐고 묻지 않았다

마음은 여유롭게,
하루는 충실하게

그동안 나는 스스로를 긍정적이고, 꽤 유쾌하며 뒤끝 없는 스타일이라 착각하며 살아왔다. 대체로 그런 편이었으나 뒤끝은 마음 깊은 곳에 남아 있었고, 살면서 다양한 성격들이 옵션처럼 추가되었다. 그래서 이제는 나를 비롯한 누군가에 대해 한 마디로 표현하지 않는다. 사람은 살아가면서 다양한 일을 겪으며 입체적인 모습을 갖춰 가는데, 그것을 내 기준으로 평가하는 것은 무의미한 일이었다. 누군가를 잘 안다고 생각했던 것도 사실은 굉장히 오만한 태도였다. 나는 나에 대해서도 아직 모르는 게 많다.

요즘은 안경 없이 보는 연습을 하고 있다. 누군가의 말이나 행동에 대해서도 있는 그대로 받아들이려 노력한다. 내가 정한 기준이나 기대를 장착하지 않고, 사실만을 보고 듣는 것이다. 나와 다른 생각들은 틀렸거나 나에 대한 적개심을 드러내는 것이 아니라 그냥 다른 것이다. 내 기준에 맞추길 바라는 것도 누군가에겐 고통스러운 프레임에 지나지 않는다. 나도 충분히 아는 고통을 남에게 전

가하고 싶지 않다.

외부에서 주는 스트레스가 끝난 후에도 혼자만의 외로운 터널이 길었던 이유는 이미 지나간 일들을 곱씹으며 원인을 파헤치는 것에서 벗어나지 못했기 때문이있다. 이미 벌어진 그리고 지나가 버린 일들을 혼자 붙든다고 해결되는 것은 하나도 없다. 내가 먼저 놔야 힘들었던 기억도 비로소 과거가 될 수 있다. 이제는 터널에서 정말 나오기 위해 내가 놓기로 했다.

요즘 주문처럼 외는 말이 있다. 타인의 언행으로 잔잔했던 마음에 파동이 일면 속으로 '그럴 수도 있겠다'고 되뇌며 중심을 잡는다. 사람의 생각이 모두 같을 수도 없는 일이고, 나도 누군가에겐 거슬리는 존재였으며 상처까지 줬다고 생각하면 뒤늦게 부끄러워진다. 남에게 잘못한 일은 사과하되, 내 마음에 파동을 일으키는 누군가의 생각에는 크게 동요하지 않으려 한다. 내가 절대적인 선(善)도 아니면서 매번 부들부들 떠는 것도 피곤한 일이다. 이제는 내 마음에도 여유를 주고 싶다.

그동안 잊고 있던 일상의 소중함을 되찾았다. 소소한 즐거움을 만끽하며 '오늘' 하루에 충실하게 살아가고 있다. 미래도 지나간 일도 모두 귀중한 나의 삶의 일부이지만, 이제는 지금 내 눈앞에 놓인 오늘을 살아가려 한다. 미래를 위해 오늘 하루도 열심히 살아 내야 한다는 것엔 변함이 없지만, 오늘도 눈이 부시게 빛나는 내 인생 중 하루다.

아침에 일어나면 창문을 모두 열고, 신선한 공기를 집에 들인다.

새로운 하루를 살게 된 것에 감사하며 물도 한 잔 마신다. 가끔 마스크를 쓰고 밖에 나가 걷기도 하고, 손글씨를 쓰고, 음악을 듣는다. 좋아하는 책을 꺼내 읽기도 하고, 여전히 새로 나온 책들을 구경하다 충동적으로 주문한다. 내가 사는 책들은 주제가 한정돼 있고, 매번 다 살 수도 없어 가끔 서평단 모집에 신청하기도 하는데, 요즘엔 출판사에서 먼저 서평을 부탁하기도 한다. 다양한 책을 읽을 수 있어 좋았는데, 가끔 내 서평을 읽고 책을 사는 분들도 있어 왠지 모를 책임감마저 든다.

처음 몇 년은 대체 왜 나한테만 이런 영화 같은 일들이 생기는지 원망했지만, 그 후에 찾아온 공허한 시간들이 나는 더 힘들었다. 일년 가까이 정신과 상담을 받아야 했고, 그 후로도 일 년은 나 자신과의 싸움이었다. 하지만 그 시간들이 전부 끔찍하고 고통스럽기만 했던 것은 아니었다. 불구덩이였다가 가끔 가시밭길도 나왔고, 가끔은 초원도 지나왔으며 오는 길에 좋은 사람도 많이 만났다. 철저히 혼자였던 시간은 길고 지루했지만, 그 시간이 있었기에 그동안 미처 몰랐던 나의 내면을 오래도록 들여다볼 수 있었고, 스스로를 용서할 수 있었다.

비록 한참 걷던 길에서 나와 새로운 길을 찾아 이제 막 걸음마를 떼고 있지만, 이런 내 모습이 싫지 않다. 나는 앞으로도 다양하게 도전하며 다소 울퉁불퉁한 길을 걷게 될 것 같다. 썩 내키진 않지만 나를 믿어 보기로 했다. 안정적으로 확실히 정착하진 못했지만, 그래서 어디라도 갈 수 있으니 나에겐 한계가 없다. 무엇보다 앞으로도 열심히 살아갈 내일의 나를 믿는다.

하고 싶은 것이 아주 많아졌다. 앞으로도 사람 냄새나는 글들을 읽으며, 나도 꽤 괜찮은 글을 쓸 때까지 다양한 장르에 도전하고 싶다. 언젠가 경제적인 여유를 갖추게 됐을 때 나의 소중한 추억 INSANE 3기 멤버들과 자유롭게 합주할 수 있는 밴드부 연습실이 있으면 좋겠고, 하고 싶은 일을 아무 때나 할 수 있는 작업실도 있으면 좋겠다. 그리고 내가 꽤 잘 되면, 나와 비슷한 고통에 힘들어하는 사람들을 도울 수 있다면 좋겠다. 내게도 많은 사람의 도움과 응원이 있었던 것처럼.

아픈 게 내 잘못은 아니라는 걸 인정하기까지 멀리 돌아왔다. 맨정신으로 버티기 힘들 땐 남을 탓했지만, 힘든 시간이 다시 찾아왔을 땐 나를 탓했다. 누구의 탓도 아닌 일도 있었지만, 그것들을 객관적으로 바라보지도 못했다. 길었던 허무의 시간은 내가 나를 용서하기 위한 시간들이었다.

내일도 바람은 불어올 것이다.

예고도 없이 찾아오려고 준비 운동을 하고 있는지도 모른다. 솔직히는 두렵다. 예측할 수 없는 것들의 후폭풍은 늘 상상을 뛰어넘었으니까. 하지만 일단 가 볼 생각이다. 일어나지도 않은 일을 걱정하고 있기엔 그동안 잘 버텨 준 내가 너무나 소중하고, 또 어떤 일들을 만나게 될지 궁금하다. 인생은 아직 많이 남아 있기도 하고.

누군가는 지금 정신없이 몰아치는 폭풍 가운데서 휘청거리거나, 예전의 나처럼 주저앉아 있을지 모르겠다. 그 바람이 잘 지나가 주길 멀리서나마 응원한다. 그리고 부디 자신을 탓하지 않길 바란다. 우리가 살아 있다는 것은 사실 가장 위대하고, 감사한 일이다.

오늘도 다시 나무숲에 삶을 묻네

멋지게 날고 싶었던 꿈과
이제 그만 실망하고 싶은 처절함
결국 모든 것이 부질없다는 공허함
아무것도 하고 싶지 않은 무기력함
그럼에도 놓을 수 없다는 비참함
뜻대로 되지 않는 허무함
그것을 견디는 일이다
산다는 것은

너는 괜찮니

이제야 정말 다 끝냈구나
한번 안아 줘도 될까

열심히 걸어온 길을 후회하지는 마
닫힌 문을 너무 오래 슬퍼하지 마
지우려고 너무 애쓰지도 마

그때의 너는 누구보다도 빛났어
반짝였던 너는 기억해도 좋잖아

다른 건 아무래도 좋은데
나는 그게 너무 걱정돼
너는 괜찮니

마지막 인사

찰나는 길고 긴 순간
내내 익숙하지 못할 장면
흠뻑 젖은 솜보다 날카롭고 차가운 냄새
바람도 차분히 흐느끼는 밤

인사를 마치고 나면
우리와의 지금을 놓고
새로운 시간을 걸어갈 이의 시작은
축하 대신 사과만 가득하여

묵직한 입꼬리를 한껏 들어 올려
웃는 얼굴로 당신을 봅니다
눈물은 막을 수 없으니
입이라도 막아 봅니다

우리였던 시간은 두고 편히 가세요
잘 지낼게요
사랑해요

가장 부르기 싫은 이름

그런 이름이 있습니다
좋은 향을 맡으면 떠오르는 이름
사람의 체온이 그리운 날 생각나는 이름
가끔씩 멀리서나마 기도해 주고 싶은 이름

그런 이름도 있습니다
머릿속이 온통 검은색일 때 그리운 이름
맑은 날이 서러울 때 생각나는 이름
우산을 쓰고도 비를 맞을 때 떠오르는 이름

그러나 절대로 부르지 않을 이름도 있습니다
나의 힘듦이 자꾸만 미안해지는 이름
폭풍 가운데 홀로 서 있어도
절대로 알게 하고 싶지 않은 이름
나보다 더 슬퍼할까 생각만 하고 마는 이름
세상 끝에서도 서로를 걱정할 이름
나의 이름을 세상에 있게 해 준 이름

아무도 괜찮냐고 묻지 않았다

그림자도 흐려지던 날

그래서 뭘 어쩌라는 거야
천벌이라도 받으라는 거야
원하는 게 뭐야 대체

태양마저 그 뒤로 환하게 빛나고
대답 잃은 눈엔 격조 높은 그림자뿐
그날 공기는 눅진한 바다 맛이 났다
어깨엔 모래주머니가 매달리고

흐린 그림자는 어깨가 굽었다
격조 높은 그림자는 점점 짙어지고

더 짙게 몰아세운다 자꾸만 짙어 가고
이번엔 거센 바람도 그 뒤에서 불고
무심한 비도 내리기 시작한다
꺼내지도 못한 우산이 다행히
물먹은 나비처럼 입을 다물고 되된다
우산을 펼치면 안 돼

오늘도 대나무 숲에 삶을 묻네

내가 돌만 던져서 이렇게 비가 오는 건가

우리 동네엔 어멈 열성팬들이 많았다
인기 스타인 우리 고양이는 이름도 많았다 어른들은 어멈이라 부르
고 엄마는 내 동생이라 부르고 나는 고양이라 불렀다

할머니가 된 어멈은 어느 날 홀연히 사라졌다
어느 날 엄마는 그런 소릴 했다 고양이는 죽을 때가 되면 집을 나간
대 주인한테 죽는 걸 안 보여 준대
묘하게 불안했지만 고양이라는 놈들은 어딘가 신비로운 구석이 있
긴 했다 참치 캔을 주는 아줌마네서 편히 지내며 산으로 들로 호랑
이처럼 쏘다니다가 가끔 막차에서 내린 발소리를 따라왔다

새벽부터 비 오는 추운 아침

정류장을 에워싸고 웅성거리는 까마귀들 사이로 고양이가 죽은 듯
누워 있다 저 멀리 첫차가 보이고 빈속이 울렁거린다 비라면 질색
이지만 돌을 주워 냅다 던진다 고양이가 맞든 까마귀가 맞든 버스에
오르면서도 돌을 던졌다 까마귀는 잠깐 흩어졌다 다시 모여들었고
우산도 교복도 고양이도 비를 맞았다

버스 안은 이가 떨리도록 추웠다
지금도 밤새 비가 오는 날이면 그때를 생각한다
내가 돌만 던져서 이렇게 비가 오는 건가 하고

포기해야만 깨어나는 꿈

돌다리를 건넌다

별안간 디딤돌이 물속으로 가라앉고 뛰어서는 도무지 갈 수 없을 만큼 먼 거리에 있는 돌도 모두 가라앉는다

어느 날은 겁도 없이 다시 차를 몰고 있다 브레이크는 말을 듣지 않고 내리막길은 미끄럼틀처럼 날렵하다 달리고 싶지 않은데 씽씽 내달린다

어느 날은 비행기 날개 끝에 매달려 있다 날카로운 바람도 쓰라린 얼음 부스러기도 참을 만했는데 오직 팔만은 정직하다

모든 얼굴은 즐거운 모습이었다

온몸에 경련이 일면 감정을 잃은 나보다 등줄기가 먼저 울었다 한참을 동동거리다 솜털이 얼어 사각사각 연필 소리를 내면 시린 가스 냄새가 났다 이제 꿈을 끝내야겠다고 생각했다

방법은 하나였다

버티기를 포기하고 손을 놓는 것

그때만큼은 엄마를 부르는 것이 허락되었다

밤을 닮은 빛은

그는 한걸음 앞서 걷는다
혹시나 어두워 그녀가 위험할까 봐

이런 밤이 참 좋다며
그녀가 달처럼 웃던 날, 그는 결심했다
이 밤을 닮은 빛을 선물하기로
멀리 하늘에서 별이 반짝이고
조용히 그녀를 바라보던 그도 빛난다

밤을 닮은 빛을 찾아다니는 동안
그녀는 기다려 주지 않았다
낮엔 낮이라서 밤엔 밤이라서
그날 밤을 닮은 빛은 없었다

텅 빈 공터에서 홀로 숨죽여 울던 그는
문득 깨달았다
자신은 별빛에 빛나는 반딧불이었음을

기로(岐路)

기역은 꺾이어 엇나가고
모음은 그저 가야 할 길을 갈 뿐
리을은 어느 쪽으로 가도
모음과 평행한 길을 갈 뿐
영원히 만나는 일은 없으리라
우연히 마주치는 일조차 없으리라

기억은 꺾이어 작아지고
우리는 점점 멀어지리라
한때 진심이었던 순간들이
빛바랜 사진 속에 갇힌다 해도
누구의 탓도 아니리라

어쩌겠는가
서로의 길이 다른 것을
한때 우리였던 너와 내가 결국
글자마저 갈라지는 기로에 선 것을

빙하를 녹이는 법

사람을 미워하지 말라고 가르치면서
차가운 마음을 소화시키는 법은
아무도 알려주지 않는다

꾸역꾸역 귀를 타고 넘어온 말들은
똘똘 뭉쳐 뱃속에 음침한 빙하로 자라나
밤낮으로 부대끼며 허파를 찔러댔다

풀벌레도 고이 잠든 어느 밤
뜨거운 물을 마셔도
목구멍까지 차오른 빙하는 녹지 않는다
다 걷어내야겠다 더 잡아먹히기 전에

더는 둘 수 없어 끄집어낸 빙하 조각은
들어올 때보다 훨씬 거대했다
우리는 찾아야 한다 빙하 녹이는 법을

오늘도 대나무 숲에 삶을 묻네

기다림 잦아든 최후의 보루에 흙을 덮어 주었다

꼬리를 자르고 달아나는 도마뱀
온통 생의 갈망뿐인 등에 미련은 없고
처참히 잘린 꼬리의 꿈틀거림은
꽤 필사적이기까지 하다
흙 속에서
죽을 만큼 다급했으리라
되돌릴 수 없는 최후의 보루를
미련 없이 잘라 버릴 만큼

이제 그는 돌아오지 않는다고
정신 차리고 너도 갈 길 가라고
말해버리려다
기다림이 잦아든 최후의 보루에
흙을 덮어 주었다
구름이 짙어지고 있었다

살아간다는 것

살아간다는 것은
목적 없이 지나가는 모래 언덕 같은 것
가야 할 길이 아득하고 지쳐 뒤돌아보면
지나온 길도 망망대해와 다름없는 것

그럼에도 포기 않고 나아가는 것은
언덕 너머에 펼쳐질 무지개가 아니다

길고 긴 사막을 건너온 흙투성이 손을
거리낌 없이 잡아 줄 형제와
모두를 와락 안아 줄 부모님
그들을 생각하며 견디는 것이다

산에 오르다

김 서린 유리창을 스윽 문지르니 저 멀리 푸르른 산이 나를 반기네
물방울이 조르르 밀려나며 산을 씻는 듯 나의 눈도 씻어 주네

영겁의 세월을 살 수 없어 아쉬운 이의 눈에 바보처럼 묵묵히 산을
오르는 거북이가 보이고
그의 등에서 흘러나온 의초로운 향기는 온 산을 뒤덮고 어리석은
이를 안아 주네

산에 오르면 대체 무엇을 얻느냐고 물으니 인자한 거북이가 대답하
네 한 걸음 한 산 오르다 보니 사유를 즐기게 되었고 나를 알고 나
를 이기는 것이 어려움을 알기에 오늘도 사유의 풍경을 걷는다고

탈피

안전할 만큼 단단해지면 게는
스스로를 가장 연약하게 만든다
나를 감싸고 있는 껍질을 깨고 나와
가장 위험한 상황을 자처한다

빠져나오기도 전에 탈진하거나
극심한 스트레스를 받으면 죽는다
연약한 몸이 적의 공격을 받거나
그물에 걸려도 죽는다
그럼에도 불구하고 게는
생장의 끝에선 탈피를 준비한다
살기 위해 죽음을 각오한다

고통의 순간을 견디고 난 후
그는 이전보다 더욱 단단해진다
그리고 또 다시 탈피를 준비한다

응원

묵묵히 고개를 숙이고 가는 이에게
뜨거운 박수갈채가 쏟아진다
포기하지 않고 걸어가는 모습에
많은 이가 감동한다

묵묵히 고개를 숙이고 걷던 이가
시야에서 사라지고
뜨거운 박수갈채가 멈춘다
사람들은 홀로 걸어갈 이를 응원하며
외로울 것을 걱정한다

뜨거운 박수갈채가 멈추고
묵묵히 걷던 이는 비로소 숨을 쉰다
때로는 박수갈채를 멈춰야 할 때가 있다
홀로 쉬고 싶은 이에게 응원은
침묵이다

박힌 별에게 빌면 전해질까

서른이 넘으면
꺼지지 않는 별 몇 개쯤
가슴에 품을 줄 알았지
첫 여행에서 마주한 노을의 감격
홀로 오른 산에서 내려다보던 야경
영원히 기억하고 싶은 순간들

서른이 넘으니
가슴에 품기도 미안하고 버거운 별들이
나도 모르게 박혀 있었지
나로 인해 서럽게 울던 어떤 이의 등
홀로 외롭게 기다렸을 누군가의 시간
영영 아프게 기억될 순간들

서러운 시간들을 지나오고 보니
그때 안아 주지 못한 게 못내 걸려
하늘에 고이 펼쳐 두고 밤마다 빈다
그땐 정말 미안했다고, 잘 지내 달라고

오늘도 대나무 숲에 삶을 묻네

첫마디의 중요성

양초를 사랑하게 된 성냥이 있었다
어리석은 감정이라고 어차피 다시 볼 수도 없다고 스스로를 나무랐
지만 뜨거운 불에 녹아 사라지는 것을 볼 수는 없었다

폭풍우 치던 밤 사람들은 양초를 찾았고 성냥은 창문을 활짝 열고
비를 맞았다 불이 붙지 않는 그는 바닥에 던져졌지만 아무것도 모르
는 여름 내내 양초는 무사했다

지쳤어 더는 불안하고 싶지 않아 이젠 나를 태워 줘

그토록 바라던 첫마디, 절망
명분이 사라진 그는 최대한 부드럽게 불을 붙이고 스러져 갔고 곧이
어 촛불도 밤새 뜨거운 눈물을 흘리며 녹아내렸다
다음이 있다면 자신도 성냥으로 태어나길 기도하며

달이 뜨기 전에

짙은 라벤더 향에 홀린 듯
바다마저 푸르게 스며드는 찰나
그 모호한 순간을 사랑했다
모든 경계를 허무는 적막
새벽과 밤의 경계와는 또 다른

특별한 것 없는 저녁의 강가
차라리 잘 된 일이었다
밤보다 낮을 사랑한 바람에선
어느 풀잎의 쓸쓸한 눈물이 배어 나오고
흰 옷에선 푸른 냄새가 진동했다

슬며시 안아 주는 바람의 선선함보다
평온하게 반짝거리는 물결들이
어스름에도 향기로운 풀잎들이
너무나 지쳐 보여
서둘러 발걸음을 돌렸다

오늘도 대나무 숲에 삶을 묻네

분실물, 오늘

분실물 센터 문이 열리고
허겁지겁 무언가를 찾아 미친 듯 헤매는 이
켜켜이 쌓인 세월의 흔적들 사이로
쉴 새 없이 후회를 흘리는 맨발의 백발노인

도와드릴까요
아무리 털어도 마르지 않는 노인의 손등
울며불며 뛰어다니던 노인이 드디어 찾았는지
낡은 시계를 끌어안고 미안해 미안해
하며 운다
노인의 등에선 연기가 거꾸로 피어오른다

분실물 수령인 칸에 서명하고 젊은이는
정중히 인사하고 돌아간다
비어 있던 분실물 품목이 채워졌다

분실물, 오늘

번데기의 신분

꽃잎에 앉은 나비에게
언제부터 나비였는지는 중요하지 않다

나뭇잎을 갉아먹던 애벌레는
스스로를 끌어안고 눈보라를 견딘다
아무도 알아주지 않는 오늘도
봄을 향해 익어 가는 과정일 뿐
자신의 신분을 고민하지 않고
번데기인 오늘에 최선을 다한다

꽃 피는 소리에 겨울이 녹으면
번데기는 잠잠히 때를 기다린다
톡 하고 허물이 터지면
죽을힘을 다해 날개를 펼친다

그는 한순간도 서럽지 않다
처음부터 줄곧 나비였기에

탈고(脫苦:괴로움에서 벗어나다)

생은 언제나 불친절한 것이었다
대체로 눈부셨으나 때때로 눅눅했고
힘껏 쥐고 있었으나 스르륵 빠져나갔다
아무런 준비도 없이 홀로 빗속을 걸었다

바람이 불어왔고 사람이 그리웠다
닫힌 문을 물끄러미 보다 나와 마주쳤다
오랜만에, 실로 오랜만에
나를 위해 울었고 비가 그쳤다

이제 내 손으로 너를 놓는다
떠나보내는 일은 여전히 쓸쓸하지만
너를 내려놓음으로 나는 평안하고자 한다

안녕, 고단하고 행복했던 새벽들
나는 이제 과거에 너를 가두고
다시 길을 나선다

후회는 성실하고 깨달음은 게으르다

어디서부터 잘못된 걸까
그때 내가 어떻게 했어야 할까
밤새 성실한 후회는 해가 떠야 멈췄다

이유를 찾으려 나를 파헤치는 밤은
표창을 받을 만했다
어떤 날엔 말이 끝나기도 전부터
부지런을 떨어댔다

계절이 바뀌고 해를 넘기고서도
도무지 와 줄 생각을 않는 깨달음은
기다리다 지쳐 포기했을 즈음 일어났다

지렁이도 너보다는 빠르다고
그냥 꺼져 버리라고 외치려는데
그제야 문을 두드리는 소리가 들렸다
제발 문 좀 열어 보라고
네 탓이 아니라고

햇빛에 나를 소독하는 중입니다

지독한 장마였습니다
소중한 것들은 파괴되었고
그 속에 시간과 마음이 들어 있습니다

방 한구석에 쌓인 한숨들은
해방되지 못한 채 나를 원망했고
나는 날마다 하늘 눈치를 봐야 했습니다

오랜만이었습니다
쨍한 햇빛 냄새에 벌떡 일어나
한숨들부터 서둘러 보내 주고는
베란다에 나를 넣어 두었습니다
지독했던 마음의 균을 소독하는 중입니다

잘 지내고 있나요
참 지독한 장마였습니다

운명애(運命愛)

운명이라기엔 험난한 여정이었다
영문 모를 수레바퀴에 갇혀
바스라지는 낙엽처럼

명멸하는 네온사인 같은 삶
눈부셨고 어두웠으며 행복했고 불행했다
끈질긴 생
용기가 없어 그저 견뎌 냈다

애증의 길이었으나
뒤돌아보니 이제야 알겠다
눈보라를 이겨 내고 고결하게 홀로 핀
매화의 아름다움을
나는 내 삶을
있는 힘껏 사랑하고 있었음을

두고 내리는 물건이 없는지 확인하시기 바랍니다

태어나던 순간
나는 죽어야 멈추는 열차에 올랐다

날마다 신나는 일 가득하던 어린 시절도
열정이라는 허접한 변명으로 나를 고문하던 시절도 돌아서기 두려
위 직진밖에 할 수 없던 나날도 그런 나를 용서할 수 없어 스스로 만
든 방에 갇혔을 때도 열차는 내 속도에 맞춰 달려왔다

그동안 수많은 인연들이 나의 열차를 오르내리며 스쳐 지나갔다
함께 걷던 사람 발을 건 사람 부딪힌 사람 흔들리던 나를 잡아 준 사
람 늘 응원해 주는 사람 이제는 각자의 길을 걷는 사람 그리고 함께
걷는 사람들 덕분에 긴 열차 여행이 외롭지 않았다

매번 길을 잃고 어지러이 헤매느라

수없이 많은 길을 복잡하게도 지나왔다고 생각했으나 돌아보면 모든 길은 오직 하나로 이어져 있다 앞으로 만나게 될 고개와 언덕들도 결국은 하나로 이어질 것을 이제는 안다

앞으로도 나의 열차는 계속 달릴 것이고

나의 열차를 오르내리는 소중한 조연들을 반갑게 만나 축복하며 보내 줄 작정이다 긴 여정을 지치지 않게 해 준 고마운 사람들에게 말한다

두고 내리는 물건이 없는지
확인하시기 바랍니다

아침에

간밤에 쏟아지던 비가 그치면
새소리가 유난히도 가깝게 들린다
우리 인생도 그렇다

간밤에 몰아치던 슬픔이 그치면
행복이 유난히도 가깝게 와 있다
그러니
그대
이제 그만 울어라

아무도 괜찮냐고 묻지 않았다

대나무 숲의 카멜레온

어른이 되려면
대나무 숲에서도 말을 조심해야 한다
때로는 궁금하지 않은 것을 묻고
더러는 괜찮지 않은 것을 넘겨야 한다

살다 보면
이름이 내가 될 때가 있다
사람들이 부르는 이름마다
각기 다른 사람처럼 변신해야 한다

집에 오면
너무나 고단했던 하루 끝에
평온한 저녁이 있다
아무도 내게 변신을 기대하지 않는
고요한 허물

꽤나 성실한 카멜레온도 숨을 쉰다

잘 가라, 나의 겨울아

안녕, 길었던 나의 겨울
힘들고 고통스러웠던 터널 속 시간들
끝날 듯 끝나지 않던 눅눅한 밤들
그 거대한 늪에서 빠져나오기 위해 나는
계속 끌어안기 버거운 꿈을
소중했던 것들을 전부 내려놓았다

밝아 오는 새벽에 절망했고
어두운 밤에 내일을 걱정했다
가장 좋아했던 시절에
가장 고통스러웠지만
좋았던 것이 훨씬 많아서
차라리 모두 덮어 버렸다

포기하지 말라고 매달려 주었는지
차마 보낼 자신이 없어 붙잡았는지
벚꽃 흩날리고 은행잎 물들어도
하루 종일 온통 겨울이었다

잘 가라, 길고 길었던 나의 겨울아

내내 힘들고 고단했지만

한때는 나의 기쁨이었던 겨울아

다시는 돌아가고 싶지 않지만

나는 아직도 가끔 즐거웠던 꿈을 꾼다

내가 나였고 너는 아직 없던 시절

눈부시게 푸르던 날을 좋아했다

너를 부정하려 애쓰던 짠한 새벽도

너를 원망하며 비워 내던 환한 밤들도

결국 내가 놓아야 흘러갈 수 있는 시간이었다

많이 좋아했던 마음을 인정하기 싫어

길고 긴 이별을 끝내고

이제야 나도 네 앞에 선다

부디 잘 가라, 안녕!

오늘도 대나무 숲에 삶을 묻네

아무도 괜찮냐고 묻지 않았다

연필을 좋아했던가
나를 좋아하지 않는 빗방울마저도
끈질긴 노력과 한계를 잃은 열심만은
고개를 끄덕이던 나는 연필로 살았다

나의 일과는 연필로
한
자
한
자
나를 기록하는 것이었다
무참히 누군가 지워 버린 나의 흔적을
다시 쓰는 것이 매일의 시작이었다

아는 사람이 있던가
자고 일어나면 조금씩 지워지는 기분을
나의 세계가 조금씩 사라지는 공포를
괜찮아야만 하는 연필들의 마음을

나의 일과는 만년필로
오늘을 기록하는 것으로 시작한다
마음에 새기는 흔적은 지워지지 않는다

얼마나 무심했던가
아무도 괜찮냐고 묻지 않아 서럽던 순간에도
숨죽여 나를 위해 기도하던 이와
캄캄한 어둠을 함께 걸어 준 이들에게
나는 고마웠다고 말한 적이 있던가

얼마나 감사한 일인가
그럼에도 불구하고 살아 있는 오늘
안부를 묻고 싶은 그대
함께 걸어갈 내일이 있음에

그리하여 결국
혼자였던 순간은 진정 혼자였던가

에필로그

정지 버튼과 시작 버튼은 같다

얼마 전 우리 집에서 생일을 보내면서 친구가 내게 말했다. 내게는 정말 미안한 말이지만, 너무 힘들거나 엄마한테 화가 날 때마다 나의 암흑기를 떠올린다고. 그리고 눈물 나게 힘들었을 나의 고통과 비교하며 마음을 다잡는다고. 우리 엄마가 중환자실에 있을 때, 퉁퉁 부은 눈으로 찾아와 본인 직장과 동창들에게 수소문해서 구해 온 헌혈증 뭉치를 건넸던 나의 오랜 친구다.

나는 앞으로도 그러라고 했다. 개인적인 이야기를 남에게 털어놓지 않는 내가 힘들었던 일을 말했다는 건, 그만큼 소중한 사람이라는 뜻이고, 나를 타산지석으로 삼아 비슷한 고통을 겪지는 말라는 뜻이었으니까.

이 책도 그렇다.

나는 그것들을 담았다. 소중한 사람의 죽음을 보고, 나의 죽음을 예감하고, 차라리 죽게 해 달라고 빌었지만, 사실은 살고 싶었던 '오늘'을. 그리고 꼭 말해 주고 싶었다. 포기하지 말고 조금만 더 버텨 보자고. 우리는 길을 잃은 게 아니라 새로운 길을 찾은 것뿐이라고. 죽음은 의외로 아무 때나 찾아오지만 기적도 늘 그 주변에 있다고. 아픈 건 당신 잘못이 아니라고. 살아 보자고. 절망의 시간을 이겨 낸 사람의 이야기를 찾아 헤매던 그때의 나에게. 그리고 비슷한 길을 걷고 있을 누군가에게.

힘든 시기를 보내고 있는 사람이 있다면 너무 오래 힘들지는 않았으면 좋겠다. 사람의 마음이 결심한다고 다 되는 것은 아니라는 걸 누구보다 잘 알지만, 그래도 누군가 나를 응원하고 있다는 사실만으로도 큰 힘이 된다고 믿는다.

지루한 빗속을 걷는 동안에도 항상 내 옆을 지켜 준 사랑하는 사람들에게 감사의 말씀을 전한다. 가끔 이제는 괜찮아진 것들을 이야기할 때마다 힘든 것도 몰랐다며 미안해하는데, 그러지 않으면 좋겠다. 몰랐던 게 아니라 내가 아무에게도 들키고 싶지 않았던 거니까. 말은 안 했어도 나는 늘 그대들을 생각하며 버텼고, 엄청 많이 의지하고 있었다.

　언젠가 도전하겠다고 막연한 생각만 하던 내가 책까지 쓰게 만든 무보수 매니저 장광현님과 언젠가 내 책에 당신의 작품을 실으면 좋겠다는 말에 기꺼이 재능을 기부해 주신 나의 친척 나무캘리 이종건 선생님께도 깊은 감사의 말씀을 전한다.
　내가 첫째나무인 동안 영원히 함께일 나의 뿌리이자 전부인 사랑하는 가족들에게 항상 고맙다. 나는 늘 내 멋대로였지만, 그럼에도 불구하고 언제나 나와 함께 하시는 나의 하나님께 감사드린다.

　늦었지만 다시 한번 용기를 내어 버튼을 누른다. 그동안은 내 의지와 상관없이 눌리는 정지 버튼에 끌려다녔지만, 이번에는 내가 먼저 누른다. 이 책을 읽은 당신도 언젠가 용기가 나면 다시 한번 시작하길 바란다. 정지 버튼과 시작 버튼은 같으니까!

아무도 괜찮냐고 묻지 않았다

2020년 10월 23일 초판 1쇄 발행
2022년 08월 20일 초판 2쇄 인쇄

| 지은이 | 고혜진 |
| 캘리그라피 | 이종건 |

| 인쇄 | 금비pnp |
| 표지 | studio GRIME |

펴낸이	이장우
펴낸곳	꿈공장 플러스
출판등록	제 406-2017-000160호
주소	서울 성북구 보국문로 16가길 43-20 꿈공장 1층
전화	02-6012-2734
팩스	031-624-4527
이메일	ceo@dreambooks.kr
홈페이지	www.dreambooks.kr
인스타그램	@dreambooks.ceo

꿈공장+ 출판사는 모든 작가님들의 꿈을 응원합니다.
꿈공장+ 출판사는 꿈을 포기하지 않는 당신 곁에 늘 함께하겠습니다.

ISBN | 979-11-89129-69-9

정 가 | 13,000 원